Votre guide de
L'HUILE
D'ORIGAN

Tracy K. Gibbs, Ph.D.

MANNAFEST PUBLISHING INC.

4 - 740 Waddington Drive
Vernon, B.C. V1T 9E9
Canada

Imprimé en Chine

Publié par :
Mannafest Publishing Inc.
4 - 740 Waddington Drive
Vernon, B.C. V1T 9E9 Canada

Conception et mise en page :
John Skipp / Creative Licence Design

Droits d'auteur © 2013 et 2016 par Mannafest Publishing Inc.

ISBN 978-0-9919788-1-6

Papier fabriqué à partir d'arbres cultivés selon des méthodes durables.

Avis de non-responsabilité. Les informations fournies par l'auteur dans cette brochure ne sauraient être assimilées à des conseils médicaux. Elles sont livrées à des fins éducatives uniquement et ne sauraient être considérées comme un diagnostic, un traitement ou pour la prévention d'un problème de santé quel qu'il soit. Pour obtenir un avis médical, il convient de consulter un professionnel de santé. La décision d'utiliser ou de ne pas utiliser une ou plusieurs des informations contenues dans les présentes relève de la seule responsabilité du lecteur.

Table des matières

Quatrième partie – Les succès de l'huile d'origan 101

À propos de l'auteur

Tracy K. Gibbs, Ph.D., possède une solide expérience dans le domaine de la pharmacognosie, l'étude des médicaments tirés de sources naturelles. Il a étudié la chimie, l'hématologie et la médecine botanique au Japon. À son retour aux États-Unis, il a suivi des cours de nutrition au Clayton College of Natural Health où il a étudié l'iridologie sous la direction du Dr Bernard Jensen. Il a également étudié au College of Naturopathic Medicine and Surgery où il enseigne actuellement la pharmacognosie et la médecine botanique. Il est membre de l'IIPA (International Iridology Practitioners Association - Association internationale des praticiens en iridologie), membre du conseil d'administration de la International Health Food Research Foundation de Nagoya, au Japon, et membre de l'American Society of Pharmacognosy.

Le Dr Gibbs est intervenu dans des conférences dans le monde entier à propos des applications cliniques des plantes médicinales. Il possède une connaissance approfondie des futures innovations en matière de médicaments à base de plantes aux États-Unis. Il gère des écoles à la fois aux États-Unis et au Japon dans lesquelles il enseigne comment utiliser les plantes dans la vie courante plutôt que de patienter dans des cabinets médicaux surpeuplés.

Le Dr Gibbs est l'auteur de plusieurs livres et brochures, parmi lesquels My Home Pharmacy, Enzyme Power, Phytonutrients: The Drugs of the Future et Your Blood Speaks. Deux de ces ouvrages ont été publiés au Japon. Il vient aussi de terminer le premier manuel relatif à la mise en œuvre de la morphologie cellulaire en fonction de méthodes approuvées dans d'autres pays.

Le Dr Gibbs est le fondateur et l'actuel propriétaire de la Health Education Corporation qui est spécialisée dans l'évaluation sanguine nutritionnelle, les séminaires de formation, la production d'ouvrages et le counselling individuel. Il est également copropriétaire et responsable de la formulation chez NutraNomics, Inc., une corporation de Salt Lake City qui se consacre à la recherche et au développement de compléments alimentaires et de produits à base de plantes médicinales.

Avant-propos

Lorsque j'étais petit, de passage chez ma tante à Modesto (Californie), j'ai fait une expérience qui allait avoir un impact durable sur ma vie et ma carrière. Alors que ma mère et ma sœur discutaient, je suis sorti dans le jardin et j'ai remarqué un magnifique cerisier. Venant du climat plus froid de l'Idaho où les cerisiers ne deviennent jamais très grands, j'étais fasciné non seulement par la taille de l'arbre mais également par les grosses cerises rouge sombre qui pendaient tout là-haut. Après avoir escaladé la moitié du tronc et trouvé un endroit confortable où m'installer, j'ai commencé à cueillir les cerises une à une et, pendant toute la matinée, je me suis ainsi régalé de ces fruits sucrés et mûrs. Très vite après être descendu de l'arbre, j'ai découvert un des effets secondaires intéressants que réserve le fait de manger trop de cerises. Disons simplement que j'ai beaucoup fréquenté la toilette de ma tante, cet après-midi-là...

Cette aventure fut l'un des nombreux événements qui m'ont conduit à me demander pourquoi certains aliments affectent notre organisme comme ils le font. Chaque aliment, quel qu'il soit, a un effet. Il s'agit souvent d'un effet positif : les aliments contribuent à notre croissance et au développement de notre force. De nombreux aliments aident à combattre les maladies et à renforcer notre système immunitaire. Néanmoins, certains d'entre eux ont des effets nocifs. Morgan Spurlock a étudié ce principe élémentaire dans son documentaire Super Size Me, pour lequel il a décidé de faire une expérience avec son propre corps en ne mangeant que chez McDonalds pendant trente jours. Pendant ces trois semaines, cet homme de 32 ans a pris presque vingt-cinq livres, augmenté sa masse corporelle de près de treize pour cent et quasiment détruit son foie!

Le message actuel de la FDA (U.S. Food and Drug Administration) est que les aliments sont « neutres »; en d'autres termes, ils ne vous rendent pas malade et ils ne peuvent certainement pas contribuer à votre santé. La FTC (Federal Trade Commission) ne permet pas que les étiquettes indiquent : « Cet aliment est bon pour la santé » ou « Cet aliment est mauvais pour la santé » et aucune réclamation ne peut être déposée concernant un aliment indiquant un bienfait particulier pour la santé ou un effet secondaire. Imaginez que la FTC rende obligatoire un avertissement sur les cerises du type : « Attention : la surconsommation peut entraîner des diarrhées » qui devrait être collé sur chaque cerise. Et un avertissement sur les pamplemousses qui dirait : « Attention : peut entraîner le blocage de certains médicaments par votre foie »! Quant à moi, j'aimerais assez que les pommes comportent une étiquette qui dirait : « Une pomme par jour éloigne le médecin pour toujours », et que celle des grenades indique : « Attention : contient des composés actifs qui peuvent prévenir le cancer et les maladies cardiaques ». Si la FTC et la FDA autorisaient ces affirmations, le rayon des fruits et légumes de nos supermarchés ressembleraient à des pharmacies avec des botanistes agréés derrière chaque comptoir qui nous mettraient en garde contre les effets secondaires ou nous vanteraient les possibles bienfaits de chaque aliment.

Alors pourquoi certains aliments ont-ils la capacité de modifier notre santé et d'altérer le métabolisme normal de notre organisme? Nous savons que tous les aliments contiennent des vitamines, des minéraux, des protéines, des graisses, des fibres et des sucres, mais ce ne sont là que des éléments de base que notre organisme utilise en tant que matières premières pour faire en sorte que l'ensemble de notre système et de nos organes fonctionnent correctement. Qu'est-ce qui fait que certains aliments nous aident à combattre le rhume ou que d'autres nous donnent de l'énergie? Qu'est-ce qu'il y a dans le chocolat qui nous procure une sensation de bonheur? Que contient le poivre de Cayenne qui fait monter la température du corps?

Nous avons la preuve manifeste que les plantes entières, non altérées (ainsi que leurs racines, leurs tiges, leurs feuilles, leurs fleurs, leurs fruits, leurs noix et leurs graines) contiennent des principes chimiques actifs. Ces ingrédients actifs sont appelés éléments phytochimiques (ce qui signifie éléments chimiques issus des plantes). Les éléments phytochimiques ne sont pas fabriqués par l'homme mais se trouvent naturellement dans chaque plante de la planète. Certains éléments phytochimiques sont des toxines mortelles, d'autres ont démontré leur efficacité contre le cancer, et d'autres encore recèlent le secret de la longévité. Des milliers d'autres gardent encore leurs secrets en attendant qu'un audacieux scientifique les découvre. Sans que l'on connaisse précisément leurs actions et leurs mécanismes cellulaires, les plantes médicinales et leurs éléments phytochimiques sont utilisés depuis des millénaires en tant que médicaments. Par exemple, Hippocrate prescrivait des feuilles de saule pour faire baisser la fièvre. Beaucoup plus tard, la salicine phytochimique a été extraite de l'écorce de saule et produite de manière synthétique pour fabriquer l'aspirine, médicament bien connu. Nombre de nos drogues pharmaceutiques actuelles sont des répliques de dérivés d'éléments phytochimiques qui se trouvaient, à l'origine, dans les plantes.

Les herbes, les légumes, les légumes-feuilles, les fruits, les noix et les graines les plus connus sont tous riches en éléments phytochimiques bénéfiques. On sait qu'ils améliorent la santé, renforcent l'immunité, combattent les affections et préviennent l'apparition des maladies. Dans la mesure où chaque plante possède une chimie unique, chacune agira différemment avec ses forces et ses effets spécifiques. De tous les aliments que l'on peut trouver au rayon des produits locaux, il y en a un qui se distingue pour son usage médicinal. Cet aliment remarquable est l'objet de ce livre : l'origan.

Comme vous allez le découvrir, le plus grand bienfait de l'origan tient à sa capacité à combattre les infections qui sont la cause principale des maladies et des affections dans le monde. À l'heure où les traitements conventionnels ne sont plus efficaces et où les laboratoires pharmaceutiques baissent les bras, l'origan et son huile essentielle ont un rôle prépondérant à jouer.

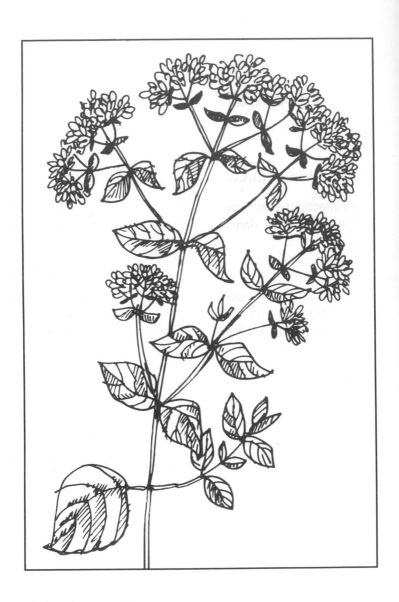

1

Les antibiotiques, nos enfants, notre planète

Les maladies infectieuses

Les infections sont la première cause de mortalité, d'invalidité et de pathologie dans le monde. Elles apparaissent lorsque des microorganismes pathogènes (des bactéries, des virus, des parasites, des mycoses ou des protozoaires) envahissent et colonisent l'organisme, et se manifestent sous forme de maladie. L'organisme possède ses propres défenses et beaucoup d'infections sont souvent de courte durée. Cependant, dans les trente dernières années, la virulence accrue des pathogènes a entraîné une augmentation des hospitalisations et des décès.

Certaines infections sont aiguës et causent des maladies graves, tandis que d'autres peuvent rester dans l'organisme pendant des années, se manifestant sous forme de maladies chroniques et dégénératives généralement appelées « maladies non transmissibles » (MNT). En 2008, l'Organisation mondiale de la Santé (OMS) estimait que 36 millions de personnes étaient décédées de MNT, ce qui représente environ deux tiers des décès dans le monde.[1] Depuis quelques années, l'augmentation de l'incidence des MNT est qualifiée de pandémie mondiale.

Ce qui est préoccupant, c'est que les infections sont responsables, directement ou indirectement, de dix millions de décès chaque année ainsi que de millions d'incapacités. Le VIH, la malaria, la diarrhée, la rougeole, la pneumonie et la tuberculose sont les plus répandues mais d'autres maladies infectieuses représentent aujourd'hui un problème croissant. Et pour couronner le tout, les jeunes enfants et les personnes âgées sont les plus à risque.

La résistance antimicrobienne : une inquiétude grandissante

Il fut un temps où les antibiotiques étaient considérés comme des remèdes miracles. Avec l'introduction de la pénicilline, dans les années 1940 et la découverte subséquente de la streptomycine, le monde a connu une réduction spectaculaire des maladies et des décès dus à des maladies infectieuses. Cependant, la bataille contre les microbes était loin d'être gagnée. Les organismes pathogènes (également appelés microbes infectieux ou pathogènes) ont la capacité de muter, d'acquérir les gènes résistants d'autres organismes et de développer ainsi des résistances aux médicaments. Prenons l'exemple du Staphylococcus aureus, une cause courante d'infection nosocomiale. Dès 1942, les infections par staphylocoque ont commencé à montrer une certaine résistance à la pénicilline et, vingt ans plus tard, plus de 80 pour cent des bactéries staphylococciques étaient devenues résistantes à la pénicilline. Bien que la résistance antimicrobienne (RAM) ne soit pas un phénomène récent, elle a considérablement augmenté dans les vingt dernières années et représente maintenant une menace sérieuse pour le traitement des infections. Parmi les pathogènes qui développent rapidement une résistance aux traitements existants, on retrouve les bactéries à l'origine de la pneumonie, des otites, de la méningite et de la sinusite (le Streptococcus pneumonia), des infections cutanées, cardiaques, pulmonaires et sanguines (le Staphylococcus aureus), des infections des voies urinaires (l'Escherichia coli), des maladies sexuellement transmissibles (le Neisseria gonorrhoeae), des infections alimentaires (la Salmonella et l'E. coli), des infections intestinales (le Clostridium difficile) et des infections transmises dans les environnements sanitaires (Enterococcus ssp., Acinetobacter baumanii, Pseudomonas aeruginosa et Klebsiella spp.).

Si les bactéries représentent la principale cause de décès par maladie infectieuse, la résistance se développe dans toutes les catégories de pathogènes : les virus, les mycoses, les parasites et les protozoaires. Par exemple, les virus à l'origine de la grippe, de l'hépatite B et du VIH, les mycoses à l'origine des infections à levures, les parasites à l'origine de la malaria et le protozoaire qui cause la lambliase développent tous une résistance accrue aux traitements actuels. C'est tout à fait logique si l'on sait que tous les organismes sont subordonnés à la sélection naturelle. La résistance antimicrobienne n'est que le processus naturel d'adaptation et de micro-évolution dans lequel les médicaments augmentent la pression sélective qui contribue à l'épanouissement des souches résistantes et à la disparition des souches plus fragiles.

Certains pathogènes sont résistants à un seul médicament antimicrobien (ou catégorie de médicaments) alors que d'autres sont résistants à plusieurs médicaments (ou catégories). Ces derniers sont appelés souches multirésistantes aux médicaments (SMR) ou plus simplement « superbactéries ». Dans certains cas, ces funestes pathogènes sont devenus résistants même aux antibiotiques à large spectre de troisième génération les plus récents. Par exemple, l'Acinetobacter baumannii, le Pseudomonas aeruginosa, la Klebsiella pneumonia et l'Escherichia coli ont tous montré une résistance de plus en plus grande aux nouvelles versions de céphalosporine, de fluoroquinolone et d'aminoglycoside.[2] En réaction, le corps médical s'est résolu à utiliser une catégorie restreinte d'antibiotiques de « dernier recours », les carbapénèmes mais même cette catégorie est en état d'urgence. L'incidence des infections bactériennes résistantes aux carbapénèmes a déjà atteint un niveau inquiétant dans certains pays où des flambées épidémiques ont été constatées. Ce qui est plus préoccupant encore c'est qu'il n'existe pas actuellement d'autres antibiotiques en préparation pour traiter ces superbactéries résistantes aux carbapénèmes. Les autorités indiquent que la propagation mondiale du gène résistant pourrait bien devenir un scénario-catastrophe.[3]

La vancomycine est un autre exemple d'antibiotique de dernier recours qui a perdu son efficacité contre la bactérie qu'elle a précisément contribué à créer. Utilisée avec succès dans les milieux hospitaliers depuis 1958, la vancomycine est devenue, dans les années 1980, un traitement courant de la colite pseudo-membraneuse et de certaines bactéries résistantes aux médicaments telles que le Staphylococcus aureus résistant à la méthicilline (SARM). Cependant, en raison de leur surutilisation, des bactéries comme l'Enterococcus et le SARM ont développé une résistance à la vancomycine (ERV et ASRV) et sont aujourd'hui responsables de milliers de décès chaque année.[4]

Les infections nosocomiales

Les patients des hôpitaux et des établissements de soins de santé sont les plus susceptibles de contracter des infections multirésistantes. Les infections d'origine hospitalière aussi appelées « infections nosocomiales » sont de plus en plus courantes et remettent en cause l'idée répandue selon laquelle les hôpitaux sont des havres protégés pour guérir et se rétablir. En fait, les microbes les plus virulents et dangereux de la planète se trouvent aujourd'hui dans les hôpitaux!

Les hôpitaux américains infectent environ 1,7 million de patients chaque année dont 10 000 décèdent. En d'autres termes : on contracte certaines infections en se rendant dans les hôpitaux.[5] Dans l'Union européenne, la situation est similaire : les hôpitaux infectent environ 2 millions de patients et causent le décès de 175 000 d'entre eux chaque année.[6] Au vu de ces chiffres alarmants, les experts se demandent s'il vaut la peine de prendre le risque de programmer une intervention chirurgicale dans un hôpital. Selon la Directrice générale de l'OMS, le Dr Margaret Chan : « Les hôpitaux sont devenus le terrain fertile des agents pathogènes ultra-résistants... accroissant le risque que l'hospitalisation tue au lieu de guérir. »[7]

Et comme si cela ne suffisait pas, nombre de ces superbactéries qui ont été confinées dans les établissements hospitaliers pendant des années deviennent maintenant de plus en plus difficiles à contrôler. Ces souches résistantes aux médicaments très virulentes infectent maintenant des individus en bonne santé dans de nombreuses communautés à travers les États-Unis, le Canada et d'autres pays.[8]

Pandémies et fausses alertes

Selon les autorités de santé, une pandémie mondiale pointe à l'horizon. La grippe espagnole de 1918 a tué entre 20 et 50 millions de personnes, soit de un à trois pour cent de la population mondiale, variant selon les sources. Si une flambée épidémique de cette ampleur se produisait aujourd'hui, elle tuerait entre 70 et 210 millions de personnes. Dans la mesure où de nouvelles souches résistantes aux médicaments apparaissent chaque année et évoluent très rapidement, les scientifiques affirment que nous devons nous attendre à ce que ce genre d'événement se répète. De nombreux experts vont même jusqu'à dire que c'est inévitable.

Mais, après les fausses alertes de cette dernière décennie, beaucoup de gens sont devenus sceptiques. On a d'abord parlé du virus du Nil occidental en 2002, puis du syndrome respiratoire aigu sévère (SRAS) en 2003, de la grippe aviaire (H5N1) en 2004 et de la grippe porcine (H1N1) en 2009. À chaque fois, les médias ont suivi et les journalistes et les autorités sanitaires ont donné l'impression de surévaluer l'importance de ces soi-disant flambées épidémiques. Lorsque les choses se sont calmées, le nombre de décès n'a pas été à la hauteur des allégations : 1144 personnes sont mortes du virus du Nil occidental (États-Unis)[9], 774 ont succombé au SRAS, 282 sont mortes de la grippe aviaire[10] et 18 000 de la grippe porcine. Même si ces décès sont tragiques, on n'a pas eu affaire à des pandémies. Pour mettre les choses en perspective, la grippe saisonnière tue entre 250 000 et 500 000 personnes chaque année.[11]

Malgré tout cela, les autorités sanitaires continuent d'affirmer que la résistance antimicrobienne est une urgence planétaire. Dans son discours d'orientation lors de la conférence de 2012 à Copenhague (Danemark) intitulée « La lutte contre la résistance aux antimicrobiens : il faut agir », le Dr Chan a insisté sur l'urgence de la situation et sur la nécessité pour les pays développés de se réveiller :

> [...] mais, comme vous l'avez noté, la menace est, en réalité, mondiale, extrêmement grave et croissante. [...] Pourtant l'attention reste sporadique et les mesures sont bien trop insuffisantes. À mon avis, l'un des problèmes est que la menace de la résistance aux antimicrobiens n'est pas la seule à solliciter l'attention dans un monde confronté à une succession de crises planétaires.[12]

Les experts des maladies infectieuses sont d'accord et tous diffusent le même message : c'est la réalité. Les choses ont changé. Nous devons agir.

La fin de l'ère des antibiotiques

À mesure que les pathogènes deviennent plus résistants aux médicaments et que le taux de décès dus à des maladies infectieuses augmente, un autre facteur contribue à aggraver la crise : les laboratoires pharmaceutiques du monde entier ferment leurs services de recherche sur les antibiotiques ce qui signifie que, pour ainsi dire, aucun nouvel antibiotique n'est développé à l'heure actuelle. Le fait que l'industrie batte en retraite à ce moment critique a été décrit comme un « désastre parfait ».

Dès 1990, la moitié des laboratoires pharmaceutiques américains et japonais ont commencé à réduire considérablement leurs efforts en matière de recherche d'antibiotiques. Entre 2002 et 2004, la société Bristol-Myers Squibb, les Laboratoires Abbott, Eli Lilly and Company, Wyeth, Sanofi-Aventis, Procter & Gamble et d'autres ont soit arrêté, soit substantiellement réduit leurs travaux de recherche et développement de nouveaux antibiotiques.[13] Plus récemment, Pfizer a fermé sa principale structure de recherche sur les antibiotiques en Angleterre et son laboratoire central aux États-Unis. Comme l'a dit le Dr Chan : « S'agissant de nouveaux antibiotiques de remplacement, la filière est pratiquement tarie [...] Le monde est sur le point de perdre ses "remèdes miracles". »[14]

Les scientifiques expliquent que ce qu'il faut aujourd'hui, ce sont de nouvelles catégories d'antibiotiques complètement différentes contre lesquelles le monde microbien n'a pas acquis de défenses.

Entre 1940 et 1968, environ vingt catégories d'antibiotiques ont été inventées. Seules trois nouvelles catégories ont été mises sur le marché depuis et, pour l'une d'elles, la résistance est apparue avant même que le médicament ne soit approuvé par la FDA.[15] Le Dr Chan ajoute :

> Si les tendances actuelles ne déclinent pas, l'avenir est facile à prédire. Selon certains experts, nous sommes en train de revenir à l'époque d'avant les antibiotiques. Une ère post-antibiotiques signifie, dans les faits, la fin de la médecine moderne telle que nous la connaissons. Des cas aussi courants qu'une angine ou que le genou écorché d'un enfant pourraient à nouveau être mortels. Certaines interventions sophistiquées, comme la pose de prothèses de hanche, les transplantations d'organes, la chimiothérapie anticancéreuse ou les soins des enfants prématurés, deviendront bien plus difficiles, voire trop dangereuses pour pouvoir être tentées. À une époque ou de multiples calamités s'abattent sur le monde, nous ne pouvons nous permettre de perdre les antimicrobiens essentiels, des traitements indispensables pour des millions de personnes, et d'avoir ainsi sur les bras une nouvelle crise mondiale.[16]

Il y a de nombreuses raisons valables pour expliquer le fait que la recherche antimicrobienne n'est plus intéressante pour les laboratoires et les chercheurs. Les coûts en sont exorbitants, le taux de réussite est bas, il faut des années pour mettre une découverte sur le marché, les ventes sont au ralenti et, enfin, les profits sont faibles par rapport aux autres médicaments qui peuvent être étudiés. Le rendement financier est bien meilleur concernant les médicaments que les patients doivent prendre toute leur vie comme, par exemple, l'insuline pour soigner le diabète, les statines contre le cholestérol et les médicaments contre l'hypertension, l'arthrite, l'impotence et la calvitie.

Par ailleurs, la surutilisation des antibiotiques accélère leur inefficacité, ce qui explique pourquoi la recherche sur les antibiotiques n'est pas intéressante. Pourquoi investir des sommes considérables dans le développement de nouveaux antibiotiques lorsqu'on sait que la durée de vie de ces médicaments expire avant même que les investissements aient été récupérés? Mais allez dire cela aux médecins et aux professionnels de la santé qui travaillent en première ligne avec des traitements inefficaces et des patients qui meurent. Et tout laisse à penser que les choses ne peuvent qu'empirer.

En dépit des circonstances, les autorités sanitaires espèrent que la situation peut se retourner grâce à des politiques publiques innovantes. Un énorme effort est fait par les gouvernements sous forme de lois, de soutien financier et de véritables mesures incitatives destinées à convaincre les laboratoires pharmaceutiques de réinvestir dans ce secteur. Ils pensent que si de nouvelles catégories d'antibiotiques pouvaient être rapidement mises sur le marché, les médecins auraient à nouveau des traitements efficaces contre les maladies infectieuses.

Les experts de la santé naturelle contestent que tant que les laboratoires pharmaceutiques n'inventeront pas de nouveaux antibiotiques qui n'entraînent pas de résistance, cela ne servira à rien. Jusqu'à ce jour, les antibiotiques ont principalement échoué en raison de leurs structures simples que les bactéries déjouent facilement. Nous avons déjà la solution, disent-ils. Il s'agit des plantes antimicrobiennes bien connues en tant que source de phytochimie complexe qui bloquent la mutation et l'évolution des souches résistantes. Malheureusement, dans la mesure où les plantes dans leur intégralité ne peuvent être brevetées, elles ne sont pas rentables pour les laboratoires pharmaceutiques qui ont tendance à rechercher des innovations pouvant générer des profits. Ce que pensent la plupart des professionnels de la santé naturelle c'est que, tant que le secteur médical n'englobera pas l'intégralité de la chimie des plantes, il ne sera pas à même de trouver des solutions durables à la résistance aux antimicrobiens.

Le vrai problème : la surutilisation

Les scientifiques qui recherchent des solutions immédiates au sein du système actuel expliquent que les antibiotiques peuvent remplir un rôle important, si et seulement si ils sont utilisés comme traitement de derniers recours. Les études ont montré que les bactéries résistantes oublient comment résister aux antibiotiques si elles ne sont pas confrontées à eux de manière régulière. Il s'ensuit que le fait de restreindre l'utilisation des antibiotiques à des situations où la vie est en danger peut restaurer et préserver l'efficacité de ces médicaments pour les années à venir. Les pays progressistes comme la Suède ont démontré que cette théorie se vérifiait dans la pratique comme le reflète le nombre réduit d'occurrences des infections résistantes dans leurs populations.[17]

Le réel problème, disent-ils, ne tient pas aux antibiotiques eux-mêmes mais à l'usage irresponsable et à la surutilisation qui ont eu lieu pendant les soixante-dix dernières années.

Les antibiotiques dans l'environnement

Chaque année, plus de 200 millions de livres d'antibiotiques sont produits dans le monde pour la consommation humaine et animale. Certains estiment que les chiffres sont en fait deux fois plus importants. Cette surabondance d'agents antibactériens a des conséquences graves sur les humains, les animaux, l'environnement et les nombreuses espèces de bactéries différentes qui composent ce monde.[18]

L'usage des antibiotiques crée des bactéries résistantes qui sont rejetées par le biais des excréments et de l'urine dans l'environnement où ils se reproduisent très rapidement : une bactérie peut en produire un milliard du jour au lendemain. Qui plus est, ces déchets contiennent aussi des antibiotiques et leurs résidus qui restent actifs pendant des mois voire des années. Dans les sols, les cours d'eau, les rivières et les océans, les antibiotiques continuent à éliminer les bactéries sensibles et à stimuler le développement évolutif de souches résistantes, ce qui entraîne un déséquilibre de notre écosystème global.

Comme l'écrivait feu Marc Lappé, éminent toxicologue, auteur et éducateur :

> Nous avons laissé notre usage prolifique des antibiotiques restructurer l'évolution du monde microbien [...] La résistance aux antibiotiques s'est propagée à tant de types de bactéries différents et inattendus que la seule évaluation valable que nous en ayons, c'est que nous avons réussi à mettre en péril l'équilibre de la nature.[19]

Il existe de nombreux exemples de la manière dont les antibiotiques polluent notre monde. Une étude a mis en évidence diverses souches de bactéries résistantes aux médicaments dans les œufs des tortues de mer.[20] D'autres études démontrent que les antibiotiques et les superbactéries nous reviennent dans la nourriture et dans notre approvisionnement en eau. Il ne fait pas de doute que nous vivons dans un monde intimement interconnecté et que notre mauvaise gestion nous a rattrapés.

Les composés antimicrobiens utilisés dans les produits nettoyants et les produits de toilettage courants sont un autre problème majeur. Par exemple, le *triclosane* et le *triclocarban* contribuent à la résistance croisée de nombreux antibiotiques et sont des perturbateurs endocriniens reconnus qui peuvent avoir des effets nocifs sur le développement, la reproduction, et sur le système neurologique et immunitaire des êtres humains et des espèces sauvages. Ces deux éléments chimiques se retrouvent communément dans les savons, les désinfectants, les shampooings, les déodorants, les dentifrices, les rince-bouche, les cosmétiques, les mouchoirs en papier, les antiseptiques et les produits de toilettage pour animaux. Dans la mesure où le triclosane et le triclocarban ont beaucoup d'autres dénominations, on ne les repère pas facilement mais il y a de grandes chances que vous en ayez chez vous. En 2011, 76 pour cent des savons liquides et 26 pour cent des pains de savon vendus aux États-Unis contenaient du triclosane selon une recherche publiée dans le American Journal of Infection Control.[21] Et comme si cela ne suffisait pas, des études ont aussi démontré que ces produits ne sont pas plus efficaces en matière d'élimination des bactéries qu'un lavage au savon et à l'eau.

Comme les antibiotiques, ces produits chimiques circulent en nous et sont transportés par les eaux usées dans l'environnement où ils créent des bactéries résistantes qui nous reviennent dans l'eau, le sol et les aliments. Une recherche a décelé ces deux composés dans les cours d'eau, l'eau de surface, les sédiments aquatiques et l'eau usée traitée. Leur haute concentration dans les boues d'épuration représente une inquiétude croissante dans la mesure où les boues toxiques sont couramment employées pour fertiliser les terres agricoles. Logiquement, ces composés chimiques finissent dans l'océan ce qui est particulièrement préoccupant dans la mesure où le triclosane est très toxique pour la faune et la flore aquatiques. Une étude de 2009 a montré une accumulation de triclosane dans les grands dauphins ce qui révèle à quel point ce composé est présent dans la chaîne alimentaire marine.[22]

Parallèlement, l'usage des produits de consommation courante contenant ces composés chimiques est en hausse. Un rapport du CDC de 2010 indique que le triclosane dans les organismes humains a augmenté de 50 pour cent en moyenne depuis 2004.[23] Selon Richard Harth du Arizona State University Biodesign Institute, des études ont révélé que 97 pour cent des Américaines ont des niveaux détectables de triclosane dans leur lait maternel et que 75 pour cent des Américains ont du triclosane dans leur urine.[24]

Le Dr Sarah Janssen, chercheuse émérite au Natural Resources Defense Council a déclaré dans un communiqué de presse de 2010 :

> L'usage répandu et sans régulation des antimicrobiens tels que le triclosane et le triclocarban doit s'arrêter. En seulement deux ans, l'exposition des humains au triclosane a considérablement augmenté et nous avons maintenant la preuve que notre approvisionnement alimentaire pourrait lui aussi être contaminé par ces produits chimiques. Ces soi-disant antimicrobiens n'ayant pas démontré leur utilité mais plutôt leurs effets nocifs sur la santé, leur utilisation représente un usage inutile et stupide de produits chimiques toxiques.[25]

Les antibiotiques dans les animaux d'élevage

Parmi les millions de livres d'antibiotiques produits chaque année, bien plus de la moitié est utilisée dans la production de bétail et de volaille. Alors que la médecine humaine et vétérinaire cible les traitements en fonction des individus, il s'agit au contraire ici d'administrer régulièrement à des groupes entiers d'animaux d'élevage sains des antibiotiques comme « promoteur de croissance » dans leur alimentation et dans leur eau (posologie sous-thérapeutique). Le fait que davantage d'antibiotiques soient administrés à des animaux sains qu'à des humains malades est une importante source d'inquiétude. Il est également alarmant que la plupart de ces antibiotiques soient les mêmes que ceux qui servent à traiter les maladies humaines, ce qui signifie que les bactéries résistantes aux médicaments chez les animaux résistent également aux traitements mis en œuvre chez les humains.

Si nous prenons l'exemple des États-Unis en 2009, 80 pour cent des 33 millions de livres d'antibiotiques vendus dans le pays servaient à l'agriculture et 90 pour cent de ceux-ci étaient administrés de manière sous-thérapeutique par le biais de l'alimentation et de l'eau.[26]

Lorsque les animaux d'élevage reçoivent de faibles doses d'antibiotiques quotidiennement, pendant toute l'année, leur tube digestif devient un réservoir qui répand des bactéries résistantes aux médicaments dans l'environnement. Qui plus est, 30 à 60 pour cent de ces antibiotiques *transitent par* les animaux d'élevage et restent actifs dans l'environnement, ce qui crée des germes plus résistants encore. Une fois qu'ils sont dans le sol et dans l'eau, ils atteignent d'autres animaux ainsi que les humains. Une étude récente a montré que l'urine bovine continuait à tuer l'*E. coli* et créait des souches résistantes qui infectaient les veaux se trouvant à proximité.[27]

Le contact direct et la consommation de viande sont des moyens supplémentaires utilisés par les pathogènes pour passer des animaux aux humains. La viande insuffisamment cuite peut contenir des pathogènes résistants aux antibiotiques qui sont transmis aux humains et aux animaux de compagnie, et causent des infections alimentaires aiguës du système digestif (intoxication alimentaire). Bien que rares, ces infections peuvent créer des affections neurologiques, hépatiques et rénales virtuellement mortelles. Des maladies chroniques peuvent également en résulter telles que l'arthrite, le syndrome du côlon irritable et le syndrome de Guillain-Barré. À l'heure actuelle, les maladies d'origine alimentaire représentent une sérieuse inquiétude dans la mesure où elles entraînent de plus en plus de flambées épidémiques, d'hospitalisations et de décès.

Les scientifiques ont découvert que la résistance peut aussi se répandre par « transmission horizontale de gènes ». Cette transmission se produit lorsque les bactéries échangent librement leurs gènes se donnant ainsi la force de résister aux médicaments et de survivre.

La viande issue des animaux d'élevage peut contenir des bactéries pathogènes résistantes aux médicaments et des bactéries banales qui sont toutes porteuses de gènes résistants aux médicaments (GMR). Une fois ingérés, les deux types de bactéries peuvent échanger leurs gènes avec des bactéries pathogènes résidant dans les organismes humains et ainsi acquérir des « pouvoirs » de résistance aux médicaments.

Gènes et infections résistantes aux médicaments

La transmission horizontale de gènes a complètement changé la façon dont la science envisage la propagation de la résistance. Elle est actuellement considérée comme le facteur principal dans l'émergence de pathogènes résistants aux antibiotiques. Avant de comprendre le rôle des GRM, les scientifiques pensaient que l'augmentation des infections résistantes résultait uniquement de la propagation des pathogènes. Les pathogènes peuvent se transmettre par contact direct avec les animaux et les humains, par les poignées de porte et d'autres éléments que l'on touche fréquemment, ainsi que par la nourriture, le sol, l'eau et l'air. Cette propagation *physique* est un problème grave mais la propagation des gènes résistants est plus rapide et plus vaste.

Cela s'explique par le fait que les deux types de bactéries, pathogènes et banales, peuvent être porteuses de GRM et les répandre rapidement dans toutes les populations bactériennes de la même catégorie (p. ex., les intestins humains, les mares, les rivières, etc.) et d'une espèce, d'un genre ou d'un phylum à l'autre pour atteindre des populations bactériennes totalement différentes.[28] Les bactéries échangent leurs gènes en permanence où qu'elles se trouvent et les transmettent *à d'autres types de bactéries dans toute sorte de milieux* par le biais des populations bactériennes commensales, environnementales et pathogènes en interconnexion dans le monde. Cette transmission de codes génétiques entre des espèces et des taxons de bactéries faiblement apparentées permet de mieux comprendre comment la résistance aux antibiotiques est devenue un problème mondial. Nous savons que le monde est essentiellement constitué de bactéries et la science a prouvé que les « données » de la résistance s'y échangent tous azimuts et sans limites. Les scientifiques décrivent cela comme un gigantesque « réseau global » faisant allusion à la rapidité avec laquelle les données circulent sur l'Internet.[29]

Les gènes résistants aux antibiotiques dans notre alimentation

Un des problèmes les moins connus des récoltes et des aliments OGM est qu'ils contiennent des « marqueurs génétiques » résistants aux antibiotiques et certains scientifiques craignent que ceux-ci ne soient transmis aux humains. Plus inquiétante encore est la possibilité que les produits non-OGM puissent aussi être contaminés par les GRM. Une étude a montré que les bactéries banales et utiles contenues dans les aliments de supermarché, tels que les poissons et les fruits de mer, les produits laitiers, les produits de traiteur et les produits frais, contiennent des gènes codés pour résister aux antibiotiques. Les scientifiques en concluent que notre approvisionnement alimentaire contribue, au moins partiellement, à la perte de l'efficacité des antibiotiques et à l'augmentation continuelle des infections résistantes aux médicaments.[30]

Les gènes résistants aux antibiotiques dans notre environnement

Il n'est pas surprenant que des bactéries porteuses de GRM, à la fois pathogènes et banales, aient été repérées dans notre environnement. Des centaines de gènes divers comportant un code de résistance à un grand nombre d'antibiotiques ont été décelés dans les eaux usées, les égouts, les eaux de surface, les eaux souterraines, les eaux d'irrigation et même dans l'eau potable. Comment cela est-il possible? Il est très vraisemblable que les bactéries résistantes aux médicaments se répandent dans l'environnement et transmettent leurs gènes aux bactéries du sol. Réciproquement, les microbes inoffensifs du sol passent aux humains et aux animaux auxquels ils transmettent des gènes résistants aux pathogènes. Ils sont également présents dans nos sols. Les chercheurs de la Washington University School of Medicine ont découvert que des bactéries banales dans divers sols américains étaient porteuses des mêmes GRM qui avaient été décelés dans de nombreux pathogènes résistants responsables de maladies mortelles (p. ex., le Pseudomonas aeruginosa et la Yersinia pestis).

Les océans sont eux aussi devenus des réservoirs de GRM. À l'instar du sol, les sédiments marins ont montré qu'ils hébergeaient les mêmes gènes de résistance qui se retrouvent dans les pathogènes humains. On peut donc imaginer que le cycle est le même : dans ce cas, les GRM nous reviennent à travers le poisson et les fruits de mer que nous consommons. L'aquaculture marine contribue au problème en utilisant des antibiotiques pour améliorer la production des organismes cultivés, tels que les poissons et les crevettes, créant ainsi des pathogènes résistants aux médicaments qui peuvent librement transmettre leurs gènes à toutes les populations bactériennes des océans.[31]

Une lueur d'espoir

Nul doute : nous avons affaire à une crise qui affecte tous les citoyens du monde et chaque vie sur cette planète. Stephen Harrod Buhner est un éminent herboriste et auteur qui enseigne aussi des approches alternatives au traitement des maladies infectieuses. Dans son livre, Herbal Antibiotics: Natural Alternatives for Treating Drug Resistant Bacteria, Buhner écrit :

> Il s'agit là d'un problème réellement grave. Nous nous sommes immiscés dans le monde microbien et avons créé des bactéries plus tenaces et virulentes que jamais. Elles vont avoir des effets à la fois sur l'écosystème et sur la population humaine que nous ne pouvons encore que soupçonner. Ce qui est sûr, cependant, c'est que l'ère des antibiotiques est révolue. Le degré et le taux de l'évolution bactérienne sont tellement extrêmes que les nouveaux antibiotiques (qui ne sont plus que rarement développés) génèrent une résistance en seulement quelques années au lieu des décennies que cela prenait auparavant. Cette perspective est effrayante. Mais il y a une lueur d'espoir...[32]

« Une lueur d'espoir? », dites-vous. Quel espoir peut-on décemment avoir? Nos hôpitaux sont des foyers de maladies infectieuses, les superbactéries nous entourent, le nombre des maladies infectieuses et des incapacités augmente, le taux de mortalité est en hausse, la pandémie nous guette, les traitements de derniers recours échouent et tout indique que la découverte de nouveaux antibiotiques est tarie. Et soyons honnêtes : nous savons que les secteurs pharmaceutique et agricole ont un intérêt direct à poursuivre leur usage massif d'antibiotiques. Y a-t-il vraiment quelque chose que nous puissions faire pour renverser la tendance? Heureusement, la réponse est un « oui » retentissant!

Ce que nous pouvons faire

Il y a beaucoup de choses que chacun de nous peut faire pour soi-même, sa famille, ses amis et sa communauté :

Dire « non » aux antibiotiques : n'allez pas demander un antibiotique à votre médecin; demandez-lui plutôt si un antibiotique est vraiment nécessaire. Les rhumes et les grippes sont causés par des virus et non par des bactéries, les antibiotiques sont donc inutiles pour les traiter. Si votre médecin recommande des antibiotiques sans être certain qu'il s'agit d'une infection bactérienne, demandez-lui de pratiquer un test de diagnostic et attendez les résultats avant de commencer le traitement. De nouveaux tests sont maintenant disponibles qui sont rapides et précis. Enfin, n'oubliez pas que la surutilisation des antibiotiques par les humains contribue à la résistance aux médicaments dans votre communauté et dans le monde entier; alors faites votre possible pour trouver des moyens alternatifs de vous protéger et de traiter les infections quand elles se produisent.

Stimuler notre système immunitaire : étant donné l'usage considérable des antibiotiques dans le monde, on pourrait penser qu'ils sont sûrs et efficaces mais ce n'est pas le cas. Les antibiotiques affectent le système immunitaire, la défense naturelle de notre organisme contre les infections, en éliminant les bactéries saines de nos intestins. La science a confirmé que notre flore intestinale nous protège des envahisseurs et communique avec d'autres parties du système immunitaire pour garantir qu'il fonctionne correctement et protège notre santé. On peut dire sans exagérer que notre flore intestinale est notre système immunitaire. Elle représente peut-être notre meilleure ligne de défense dans la mesure où elle est capable de se battre contre les superbactéries les plus nocives. C'est pourquoi nous devons en prendre soin. Consommez des aliments naturels, des minéraux, des vitamines et d'autres suppléments qui renforcent votre système immunitaire. Buvez beaucoup d'eau, faites beaucoup d'exercice, dormez, prenez l'air et exposez-vous à la lumière naturelle pendant les mois d'hiver. Et évitez les toxines; même l'alcool et les cigarettes en petites quantités sont très difficiles à supporter pour l'organisme.

Utiliser des alternatives naturelles aux antibiotiques : lorsqu'une infection se déclare, pensez surtout à stimuler votre système immunitaire et prenez des remèdes naturels plutôt que des antibiotiques. Consultez un herboriste, un naturopathe ou votre détaillant de produits de santé local pour découvrir les nombreux traitements et thérapies naturels qui existent.

Utiliser des alternatives naturelles aux produits antibactériens : explorez votre supermarché avec des yeux neufs et vous remarquerez que les produits antibactériens y sont abondants. C'est tout un travail! Les composés chimiques antimicrobiens se trouvent dans des produits que nous ne soupçonnons pas comme les lingettes, les chiffons, les éponges, les sacs poubelle, les pellicules plastique, les planches à découper et même les couches et les vêtements. Depuis la crainte de pandémie de la décennie passée, les entreprises ont capitalisé sur les peurs des consommateurs. Le fait est que ces produits chimiques antibactériens sont nocifs pour votre système immunitaire et l'environnement en plus d'être inutiles. Des études ont montré que le fait de bien se laver les mains avec du savon ordinaire est efficace pour éliminer les pathogènes sans qu'il soit besoin d'aggraver le problème de la résistance antimicrobienne. Les experts des maladies infectieuses nous demandent d'utiliser la bonne vieille huile de coude pour nous débarrasser des matières organiques et remettent en question la nécessité des désinfectants. En général, ils ne sont effectivement pas nécessaires. Cela dit, de nombreux produits naturels sont disponibles dans votre magasin local de produits de santé qui sont non toxiques et biodégradables, et qui désinfectent sans créer de résistance aux germes. Même un simple mélange de vinaigre et d'eau est un excellent moyen d'éliminer les germes lorsque cela s'avère nécessaire. Encore une mise en garde : méfiez-vous des produits de grandes marques dans votre supermarché ou votre quincaillerie qui affichent qu'ils sont « naturels », « verts » ou « biodégradables »; biens souvent, il s'agit là de publicité mensongère. Lisez les étiquettes attentivement.

Vous y découvrirez peut-être que la compagnie mère fait ses choux gras en vendant de l'eau de Javel ou d'autres produits chimiques. Et si les ingrédients sont difficiles à prononcer, ils ne sont probablement pas naturels.

Faire attention à ce que nous mangeons : les fruits et légumes crus peuvent être couverts de pesticides, d'antibiotiques et/ou de germes résistants, alors faites-les tremper dans une solution naturelle avant de les laver et de les rincer. Quant à la viande, assurez-vous de bien la faire cuire pour éliminer toutes les bactéries résistantes. Par ailleurs, utilisez votre pouvoir de consommateur pour provoquer un changement. En particulier s'agissant d'aliments qui sont massivement arrosés ou traités avec des pesticides ou des antibiotiques, choisissez des produits biologiques. Ensemble, nous réussirons peut-être un jour à donner aux producteurs une solide raison de changer leurs manières de faire ou même leurs activités. Enfin, sachez qu'aux États-Unis, certaines variétés de pommes et de poires biologiques sujettes au feu bactérien sont arrosées avec de la streptomycine et de la tétracycline, deux antibiotiques utilisés chez les humains et chez les animaux. Il est prévu que cela prenne fin en octobre 2014. Là encore, faites parler vos dollars : n'achetez que les variétés qui sont naturellement résistantes au feu bactérien.

Éduquer les autres : faites part de ce que vous savez sur la résistance antimicrobienne et l'utilisation abusive des produits chimiques antibiotiques et antibactériens. Commencez par votre famille et vos amis et, si l'opportunité se présente, parlez-en dans votre communauté. Considérez que c'est un service que vous rendez aux autres. Aujourd'hui, de plus en plus de gens prennent conscience des choses et apprécient d'entendre des vérités importantes concernant notre monde.

Réclamer un changement : si vous en éprouvez le besoin, devenez activiste du changement. Écrivez à votre représentant politique local et faites-lui part de vos inquiétudes concernant l'abus des pesticides, des antibiotiques et des produits chimiques dans votre communauté. Lancez une pétition. Formez un groupe de discussion sur les problèmes de santé et d'environnement. Utilisez les médias sociaux pour diffuser le message. Faites parler vos dollars; en tant que consommateurs, nous pouvons influencer la qualité et le type de produits offerts dans les magasins. Organisez un événement pour la Journée de sensibilisation au bon usage des antibiotiques, le 8 novembre de chaque année. Donnez l'exemple pour provoquer le changement.

> Ne doutez jamais qu'un petit groupe de gens réfléchis et engagés puisse changer le monde. C'est d'ailleurs toujours comme cela que ça s'est passé. Margaret Mead

Ce qu'ils peuvent faire

Nos gouvernements peuvent faire beaucoup pour enrayer la résistance antimicrobienne et protéger leurs citoyens, les citoyens des pays voisins et le monde entier. Les pays progressistes comme la Suède et le Danemark ont ouvert la voie et servent de modèles pour les autres pays en regard de ce qui marche et ce qui ne marche pas. L'Organisation mondiale de la Santé de l'ONU a élaboré un plan d'action stratégique que les nations peuvent adopter et l'Union européenne a généré des modèles pouvant s'appliquer ailleurs pour combattre la résistance antimicrobienne sur plusieurs fronts. L'Australie a créé son propre projet pour enrayer le problème basé sur plusieurs recommandations en termes de régulation, de surveillance, de contrôle, de prévention des infections, d'éducation et de recherche.[33] Il est donc clair que les premières démarches ont été faites et aujourd'hui, plus que jamais, le désir de trouver des réponses et des solutions, et la volonté de changement sont présents.

Les divers gouvernements du monde doivent mettre la barre haute. Le temps est venu d'être créatifs, de faire éclater les paradigmes et de se lancer dans l'action. Voici quelques objectifs sur lesquels la plupart des experts des maladies infectieuses, des scientifiques de l'environnement, des autorités sanitaires et des politiques peuvent se mettre d'accord :

- Restreindre l'usage des antibiotiques chez les humains et les animaux.
- Restreindre l'usage des antibiotiques sous-thérapeutiques chez les animaux d'élevage.
- Restreindre l'usage des antibiotiques dans l'aquaculture et l'apiculture industrielle.
- Restreindre l'usage des composés chimiques antimicrobiens dans les produits de consommation.
- Restreindre l'usage des pesticides et des antibiotiques dans les fruits et les légumes.

- Mettre en place des régulations et leur application stricte concernant la production de composés chimiques synthétiques et de technologies pouvant favoriser la résistance bactérienne.
- Améliorer la gestion des déchets contenant des gènes résistants aux antibiotiques.
- Préserver certains médicaments spécifiques afin qu'ils restent efficaces en tant que traitements de dernier recours.
- Rechercher des antibiotiques innovants qui soient sans danger pour les humains et l'environnement.
- Rechercher des antibiotiques innovants qui soient à la fois sans danger pour les animaux et radicalement différents de manière à ne pas favoriser la résistance croisée.
- Supprimer les régulations gouvernementales qui imposent des restrictions aux fabricants de produits de santé (PSN) et limitent ainsi l'accès des consommateurs à ces remèdes naturels, dans la mesure où ils sont sans danger.
- Intégrer les médecines naturelles et les thérapies alternatives dans le modèle médical actuel, en particulier celles qui stimulent l'immunité et traitent les infections.
- Informer les enfants des écoles primaires et secondaires de la crise des antimicrobiens et de l'importance de l'usage d'antimicrobiens naturels.
- Éduquer le grand public par le biais de l'Internet, de la publicité, du marketing et des Journées de sensibilisation au bon usage des antibiotiques.

N'oubliez pas, *c'est à nous*, citoyens de réclamer cela. *Mobilisons-nous* pour le monde microbiologique, il en va de l'avenir de nos enfants.

Les antibiotiques à base de plantes médicinales

En dépit des avancées de la médecine, la science s'est tournée vers la phytochimie avec un intérêt renouvelé ces vingt dernières années. De très nombreuses études ont montré que les huiles essentielles de certaines plantes possèdent des principes antimicrobiens qui surpassent l'efficacité des principaux antibiotiques. En plus de leur pouvoir anti-germes, les huiles essentielles contiennent une insondable complexité de composés agissant en synergie pour garantir la survie de la plante. En raison de leur structure complexe, ces fougueux composés naturels enlèvent aux pathogènes la capacité de s'adapter et de développer une résistance. À l'opposé, les remèdes antimicrobiens sont des structures relativement simples contenant peu d'éléments chimiques et cette absence de complexité permet aux pathogènes de trouver facilement des effets antagonistes.

Par ailleurs, les plantes et leurs huiles essentielles sont généralement sans danger pour l'homme et l'environnement. Elles sont non toxiques, fonctionnent en harmonie avec l'organisme humain en stimulant son système immunitaire par le biais de phytonutrients et en restaurent sa santé par des actions médicinales. Et, contrairement à leurs équivalents synthétiques, les « antibiotiques à base de plantes médicinales » sont biodégradables et ne restent donc pas actifs dans l'environnement respectant ainsi l'équilibre fragile de dame nature.

Parmi les antibiotiques à base de plantes médicinales les plus connus, on peut citer l'origan, l'ail, le thym, le clou de girofle, la sarriette, la cannelle, le gingembre, le pamplemousse (pépins), l'eucalyptus, le genièvre et la sauge. Il peut paraître incroyable que ces plantes et leurs huiles essentielles soient capables d'éliminer les bactéries résistantes aux médicaments. C'est pourtant le cas. Et ce n'est pas tout, certaines éliminent également les infections virales et fongiques et c'est là une chose que les antibiotiques synthétiques ne font pas. En fait, aucun médicament connu à ce jour ne peut effectivement éradiquer les virus et guérir les maladies qu'ils engendrent. À l'instar des bactéries, les virus échappent à la médecine moderne. Et il en va de même des mycoses qui sont notoirement difficiles à éliminer. C'est un problème majeur aujourd'hui, étant donné que les infections (bactériennes, virales et fongiques) sont la cause sous-jacente de la plupart des affections et des maladies en Amérique du Nord.

Avec la menace d'une pandémie et l'échec du traitement moderne des infections, les gens s'intéressent de plus en plus aux huiles essentielles. Et lorsque le financement et l'intérêt sont présents, la communauté scientifique continue de divulguer les propriétés antimicrobiennes des huiles médicinales et de valider ce que les herboristes, les aromathérapeutes, les naturopathes et les autres praticiens de la médecine naturelle font depuis des années.

L'huile d'origan et les germes résistants aux médicaments

De toutes les huiles essentielles qui ont été étudiées jusqu'à ce jour, l'huile d'origan est de loin la plus puissante et la plus efficace contre les bactéries et les virus pathogènes.

De nombreuses études ont été lancées à travers le monde pour valider scientifiquement la réputation de l'huile d'origan en matière de bienfaits pour la santé, et pour démontrer ses puissantes propriétés en termes de lutte contre les infections et de stimulation du système immunitaire. En 2001, le Dr Harry G. Preuss, professeur de biophysique à la Georgetown University, a reconnu que l'huile essentielle d'origan, à des doses relativement faibles, était efficace contre le Staphylococcus aureus.

Par ailleurs, ses recherches ont révélé que l'huile d'origan était comparable en termes d'élimination des germes aux antibiotiques les plus courants, tels que la streptomycine, la pénicilline et la vancomycine.[34] Dans une autre étude, une équipe de chercheurs de la University of Tennessee a rapporté que l'huile d'origan réalisait l'inhibition de 100 pour cent des bactéries résistantes aux médicaments les plus courantes, y compris le Staphylococcus aureus, l'E. coli, la Listeria monocytogenes, la Yersinia enterocolitica, la Pseudomonas aeruginosa et l'Aspergillus niger.[35] Plus récemment, des chercheurs de Dehli ont découvert que l'huile d'origan éliminait le SARM plus efficacement que les 18 antibiotiques avec lesquels elle était comparée. Qui plus est, ils ont démontré qu'elle éradiquait complètement le SARM dans un rapport de dilution de 1:1000.[36]

Dans une étude australienne, 52 huiles médicinales ont été testées pour leurs principes antibactériens et antifongiques, et l'huile d'origan a été la seule à démontrer une action « pharmacologique » contre toutes les bactéries et levures testées, y compris l'E. coli, la Salmonella enterica, le Pseudomonas aeruginosa, la Candida albicans, l'Acinetobacter baumanii, l'Enterococcus faecalis et la Klebsiella pneumonia.[37] Des scientifiques écossais ont également découvert que l'huile d'origan était la plus efficace et démontrait le plus large spectre d'activité contre les 25 genres de bactéries différentes testées.[38]

Il est aussi intéressant de constater que l'industrie agricole considère sérieusement l'huile d'origan comme une alternative non toxique aux pesticides. L'industrie alimentaire a, quant à elle, financé de nombreuses études pour examiner les propriétés de l'huile d'origan en tant qu'agent conservateur. La combinaison de la puissance antibactérienne et des solides propriétés antioxydantes de l'huile d'origan ont soulevé un grand intérêt et des investissements considérables visant à trouver le moyen d'optimiser ses bienfaits dans les aliments tout en masquant le goût et l'odeur de l'origan.

Utilisée en toute sécurité et efficacement depuis plus de vingt ans par des dizaines de milliers de Nord-Américains, l'huile d'origan a mérité sa réputation de puissant remède contre les infections et de pourvoyeur de soins polyvalents pour toute une série d'affections. Son efficacité incomparable contre tous les types de pathogènes, y compris les bactéries, les virus, les mycoses, les parasites et les protozoaires, la rend utile pour soigner une large gamme de pathologies infectieuses. Aujourd'hui, l'huile d'origan est utilisée par de nombreux médecins naturopathes et vétérinaires holistiques pour traiter avec succès des affections qui seraient, sans elle, traitées par antibiotiques. Le Dr Kurt Schnaubelt, aromathérapeute formé en France et fondateur du Pacific Institute of Aromatherapy remarque : « Lorsqu'il s'agit de combattre des infections bactériennes, l'origan représente l'artillerie lourde de l'aromathérapie. »[39]

Lorsque l'on connaît l'ampleur de la résistance aux antibiotiques aujourd'hui, il semble que l'huile d'origan soit une réponse à l'un des problèmes mondiaux les plus alarmants : comment traiter les infections, maintenant et à l'avenir?

Les infections jouent un rôle plus important en matière de santé publique que nous ne voulons bien le croire et les médecins font souvent abstraction des infections comme cause sous-jacente des affections et des maladies. Par exemple, un certain nombre de maladies telles que l'arthrite, le syndrome de fatigue chronique, le syndrome du côlon irritable, la colite ulcéreuse, le psoriasis, l'eczéma, la sinusite, l'ulcère peptique, la fibromyalgie et la gastrite (la liste est sans fin) sont fréquemment causées par des infections chroniques qui sont ignorées et jamais traitées. Lorsqu'une infection est décelée, bien souvent les médecins ont bien peu à proposer si ce n'est des antibiotiques ou d'autres médicaments connus pour leurs effets toxiques sur l'organisme et qui n'offrent aucune garantie de succès. C'est pourquoi l'huile d'origan a reçu un tel accueil. Elle est sans danger et efficace. Elle peut être utilisée pour traiter tous les types d'infection, celles que vous connaissez et celles que vous ignorez.

Et par-dessus tout, vous n'avez pas besoin de prescription : l'huile d'origan peut être auto-administrée chaque fois qu'une infection est suspectée ou prise de manière préventive pour empêcher une infection de se manifester.

2

Mieux connaître l'origan

Une menthe pas comme les autres

L'origan fait partie de la famille des Lamiaceae que l'on appelle communément la « famille des menthes ». De nombreuses herbes aromatiques font partie de cette famille comme le romarin, le thym, le basilic et la sauge ainsi que des herbes couramment utilisées dans le thé comme la menthe poivrée, la lavande, la mélisse-citronnelle et l'herbe-à-chat.

Le mot « origan » vient des mots grecs oras (« montagne ») et ganos (« joie ») ou, plus simplement, « joie des montagnes ». De toutes les variétés d'origan (et il y en a au moins quarante), la plus connue est de loin l'Origanum vulgare. Cette plante est riche en composés phytochimiques qui combattent les infections et elle a fait l'objet, à de nombreuses reprises, d'études scientifiques. Néanmoins, beaucoup d'autres espèces d'Origanum sont tout aussi riches en ingrédients actifs bien qu'elles ne soient pas aussi bien documentées dans la médecine occidentale. Par exemple : l'O. compactum, l'O. dictamnus, l'O. hypericifolium, l'O. minutiflorum, l'O. onites et l'O. syriacum. Ces diverses espèces ainsi que l'O. vulgare plus connu sont originaires des hautes régions montagneuses de la Méditerranée et du Moyen-Orient. On regroupe souvent toutes ces espèces sous l'appellation d'« origan de

Méditerranée ». Toutes les espèces d'origan sont des plantes vivaces qui poussent à l'état sauvage et qui peuvent être cultivées facilement.

En raison de l'arôme fort et du goût unique de la plante, l'origan est depuis longtemps utilisé dans les plats traditionnels de la région méditerranéenne. Cependant, il est important de noter que la plupart de l'origan proposé au rayon alimentaire des magasins n'est pas de l'origan de Méditerranée; il s'agit souvent d'une variété de marjolaine, parent proche de l'origan faisant également partie du genre Oreganum. La marjolaine est plus douce et sucrée en comparaison avec la saveur plus robuste de l'origan. L'origan de Méditerranée est en fait assez amer; lorsqu'on le consomme frais, il peut même engourdir la langue. C'est précisément cette amertume et ce goût épicé qui dénotent sa teneur élevée en ingrédients actifs porteurs de puissants effets antiseptiques si bénéfiques pour le régime alimentaire méditerranéen, surtout avant que la réfrigération et les autres méthodes sanitaires n'apparaissent.

Un remède ancien

Bien qu'il soit surtout connu comme herbe aromatique, l'origan possède une réputation médicinale très ancienne. Ses feuilles vertes ovales et ses fleurs tubulaires sont utilisées depuis des milliers d'années pour traiter les affections, les maladies et les blessures. En 3000 av. J-C déjà, les Égyptiens et les Babyloniens utilisaient l'origan, et de nombreux érudits pensent que l'hysope de la Bible était une espèce d'origan de

Méditerranée. Les Grecs ont appris la distillation à la vapeur des huiles végétales des Égyptiens aux environs de 500 av. J-C, et l'huile végétale distillée à la vapeur est mentionnée dans les références médicales de l'époque. En Grèce et à Rome, l'origan était révéré en tant que plante curative et était aussi un symbole omniprésent de joie et de bonheur. Il était placé sur les tombes lors des funérailles pour réconforter les gens et atténuer leur chagrin, et des couronnes fleuries étaient portées par les jeunes mariés en signe d'amour et de bienfaits.

Les médecins grecs Hippocrate (460-377 avant J-C) et Discoride (40-90 après J-C) ont tous deux prescrit l'usage de l'origan pour traiter de nombreuses affections. Hippocrate l'utilisait pour les troubles respiratoires et gastro-intestinaux, les plaies, les morsures de serpent venimeux, les piqûres d'insecte et même l'empoisonnement à la ciguë! Dioscoride recommandait l'origan contre la toux et la congestion pulmonaire, le mal d'oreille, l'inflammation des amygdales, le muguet, les maux d'estomac, les brûlures d'estomac, les gaz intestinaux, les affections cutanées, les morsures venimeuses, les intoxications narcotiques, les entorses, les enflures, les excroissances, les spasmes, les affections de la rate et la jaunisse. Il a expliqué ces divers usages dans son œuvre célèbre ; De materia medica qui allait devenir un texte de référence pour les futurs herboristes et médecins. Un autre médecin grec, le grand Galien (129-217 après J-C) utait l'huile d'origan distillée à la vapeur en tant que « remède approprié » pour les affections pulmonaires, la bronchite et la sinusite ainsi que pour la toux et les refroidissements.

endant tout le Moyen Âge (500-1500 après J-C), il est clair que les propriétés médicinales de l'origan et de ses huiles essentielles ont été grandement acclamées et se sont rapidement répandues dans toutes les régions habitées du monde connu. En Chine, l'origan était utilisé pour traiter les rhumes, la fièvre, la nausée, la diarrhée, les démangeaisons et la jaunisse. Dans les civilisations islamiques, les médecins utilisaient l'huile d'origan pour soigner diverses affections infectieuses. Dans l'Angleterre médiévale, l'usage de l'origan s'est largement répandu en tant que conservateur du lait et de la viande. La plante cultivée et son huile essentielle étaient de puissants remèdes pour les affections respiratoires telles que les rhumes, la toux, la congestion, la bronchite, la pneumonie et l'asthme. L'origan permettait aussi de guérir les troubles digestifs comme la diarrhée, les maux d'estomac, les vers intestinaux et les intoxications alimentaires. Les herboristes anglais prescrivaient également l'origan en cas de maux de tête, de maux de dents, d'arthrite, de douleurs musculaires, d'enflure, d'ecchymoses, de scorbut, de plaies, et de troubles utérins, urinaires, hépatiques et cardiaques. Le médecin suisse alémanique Paracelse (1493-1541 après J-C) a découvert que l'origan était également efficace contre les infections fongiques et le psoriasis. Plus tard, aux XVIIe et XVIIIe siècles, les herboristes anglais Gerard, Langham, Culpeper et Salmon ont consigné l'ensemble des usages médicinaux de l'origan dans leurs fameux « herbiers » qui restent jusqu'à ce jour des textes de référence fondamentaux.

Lors de la colonisation des Amériques, l'origan est devenu un des éléments de la médecine courante. La plante a été cultivée et son huile distillée à la vapeur est devenue très populaire sous le nom d'« huile d'origan ». Au début des années 1900, les médecins américains se fiaient à cette huile concentrée aux propriétés antiseptiques et anti inflammatoires qui leur permettait de guérir tous les types d'infection. Mais avec l'arrivée de la médecine allopathique, les usages traditionnels de remèdes naturels ont commencé à décliner.

L'objectif principal de la médecine allopathique a été de prouver, de manière irréfutable, la cause de la réaction de l'organisme à un composant chimique spécifique. Bien que scientifique, cette approche quelque peu restreinte a virtuellement empêché les remèdes à base de plantes médicinales, y compris les huiles essentielles, de trouver leur place parmi les médicaments allopathiques. Chaque plante contient des douzaines, voire des centaines et même des milliers de composés chimiques susceptibles de réagir différemment lorsqu'ils sont extraits de leur source originale ou analysés indépendamment les uns des autres.

Malgré tout, la science a été capable de mettre le doigt sur quelques-unes des propriétés actives de l'origan qui le rendent si efficace.

Comment fonctionne l'origan?

Chaque plante vivante contient des composés naturels appelés principes phytochimiques ou composés chimiques présents dans les plantes. Par exemple, si vous mangez du gingembre pur, vous ressentirez un sursaut d'énergie et la température de votre corps pourra monter légèrement. Cela est dû aux effets d'un groupe phytochimique particulier au gingembre appelé ginsenosides qui augmente la production d'adrénaline entraînant une stimulation de l'énergie et une hausse de la température.

Dans l'origan aussi, il existe de nombreux principes phytochimiques, dont chacun possède ses propriétés distinctes. La composition phytochimique (et la puissance) de chaque plante d'origan est le produit de divers facteurs tels que le type d'espèce, le climat, l'altitude, l'état des sols et la génétique de la plante. L'Origanum vulgare et d'autres espèces d'origan sauvage de Méditerranée ont été analysés et ont montré qu'ils possédaient plus de cent composés. Cela permet de comprendre pourquoi l'origan est utilisé dans des circonstances aussi diverses et comment il peut traiter un éventail d'affections aussi large.

Parmi les principaux composants de l'origan, on trouve le carvacrol, le cymène, le terpinène, le thymol, le limonène, le pinène, l'isobornéol et le caryophyllène. Chacun de ces composés a sa finalité propre et ils travaillent tous en synergie pour garantir le bien-être et la survie de la plante.

Parmi ces composés actifs, le carvacrol est celui qui contribue le plus à la fameuse puissance anti-infectieuse de l'origan. Les huiles essentielles qui contiennent de plus grandes concentrations de ce composé phénolique ont démontré leur capacité à éliminer les pathogènes (les organismes à l'origine des infections) et à guérir les affections et les maladies. Les composés phénoliques ou « phénols » sont des antimicrobiens remarquables qui sont rarement les principaux composés des huiles essentielles. Seules quelques plantes sont connues pour leur haute teneur en composés phénoliques, notamment l'origan, le thym, l'ajowan et certaines variétés de sarriette.

L'origan sauvage de Méditerranée est généralement connu pour ses niveaux élevés de carvacrol mais, dans les faits, les niveaux de carvacrol varient en fonction des espèces d'origan sauvage. Par exemple, le carvacrol peut varier de 20 à 85 pour cent du contenu de l'huile essentielle en fonction du type de la plante et de l'altitude où elle pousse. En conséquence, la teneur en carvacrol des produits d'huile d'origan « sauvage de Méditerranée » varie également.

Origan 101 : le terme « huile d'origan » est communément employé pour décrire l'huile essentielle d'origan pure, non diluée, à laquelle se réfèrent les traités d'aromathérapie. Elle est utilisée dans la fabrication des produits d'huile d'origan. Au fil des années, « huile d'origan » (Oil of Oregano avec une majuscule en anglais) est devenu le nom généralement admis pour les produits contenant de l'huile d'origan diluée dans une huile de préservation. Le taux de dilution varie d'un produit à l'autre. Dans sa forme concentrée pure, l'huile d'origan n'est pas destinée à un usage oral ou topique et il y a une raison à cela : c'est un irritant. C'est pourquoi, les produits de l'huile d'origan sont toujours mélangés à de l'huile d'olive ou à un diluant propre à la consommation alimentaire qui favorise également l'absorption de ses composés phytochimiques naturellement actifs.

La puissance du carvacrol est la quantité d'ingrédients actifs contenus dans l'huile essentielle d'origan (non dans le produit d'huile d'origan dilué). Elle s'exprime généralement sous forme de pourcentage.

Le thymol est lui aussi un composé phénolique de l'origan dont les études de laboratoire ont démontré qu'il agissait en synergie avec le carvacrol pour en stimuler les effets. Même à faibles concentrations, le thymol contribue de manière significative à l'efficacité générale de l'origan. Cette caractéristique souligne l'importance de considérer la plante dans son intégralité et la synergie innée de tous ses composés plutôt que la puissance d'un seul ingrédient. Comme le veut l'adage : un tout est souvent supérieur à la somme des éléments qui le composent!

À l'instar d'autres phénols dérivés des plantes, le carvacrol et le thymol détruisent les organismes pathogènes (bactéries, virus, mycoses, parasites et protozoaires) par le biais de leurs propriétés à action membranaire. Ils endommagent la membrane de la cellule ou ses autres structures de protection externes pour provoquer une fuite des contenus intracellulaires. Ils se sont révélés considérablement plus efficaces (et moins dangereux) que le phénol synthétique communément employé dans les antiseptiques et dans les insecticides industriels. Selon le Dr Schnaubelt, le carvacrol et le thymol sont « un exemple parfait des avantages supplémentaires que les substances naturelles possèdent par rapport aux substances de synthèse. »[40]

En plus de ses phénols, l'huile essentielle d'origan est composée de nombreux hydrocarbures de terpène, d'alcools à longue chaîne et d'esters qui contribuent tous à la puissance et à la complexité antimicrobiennes de l'origan. L'origan est aussi l'une des rares plantes contenant des quantités substantielles (en fonction des espèces) d'acide rosmarinique, un puissant capteur de radicaux libres qui contribue à expliquer la puissante action antioxydante de l'origan.

Le carvacrol, le thymol et l'acide rosmarinique ne sont que trois des composés actifs de l'origan qui ont été étudiés en profondeur et ont révélé des vertus médicinales incroyables. Il faudra peut-être attendre des décennies avant que les chercheurs comprennent l'intégralité des actions des autres composés de la plante et les effets synergétiques de tous ses composés agissant ensemble.

Propriétés médicinales

En attendant que la science dévoile les secrets des innombrables bienfaits de l'huile d'origan, nous en possédons déjà une bonne connaissance pratique grâce à la tradition française de l'aromathérapie médicale. Même si les fondements de l'aromathérapie remontent à des milliers d'années, le terme lui-même n'est apparu qu'au début du XXᵉ siècle lorsqu'un chimiste français, René-Maurice Gattefossé, a commencé à s'intéresser à l'utilisation médicinale des huiles essentielles. Dans les années qui ont suivi, le modèle français de l'aromathérapie a été développé par les estimés docteurs Jean Valnet, Paul Belaiche, Daniel Pénoël, Pierre Franchomme et d'autres qui se sont basés sur la recherche scientifique et les preuves empiriques que leur apportait l'utilisation, dans leurs cabinets, d'huiles essentielles de qualité thérapeutique (en usage interne et topique).

Dans une large mesure, ces pionniers de l'aromathérapie méritent de la reconnaissance pour ce que nous savons aujourd'hui de l'huile d'origan et de ses propriétés, de ses usages, de ses applications et de sa posologie. Aujourd'hui, l'origan (origanum) est cité dans la plupart des textes sur les plantes médicinales et l'aromathérapie, et vous y trouverez aussi la liste des propriétés médicinales suivantes…

Antibactérienne, antivirale, antifongique et antiseptique

L'huile d'origan est un antimicrobien puissant. De nombreuses études et de pratiques humaines ont confirmé sa capacité à détruire d'innombrables « germes » pathogènes appartenant aux cinq catégories de pathogènes : les virus, les bactéries, les mycoses, les parasites et les protozoaires. Si l'on pense au nombre d'affections causées par ces organismes invasifs, on comprend aisément pourquoi l'huile d'origan est un remède aussi utile. Elle peut être utilisée en prévention : par exemple, pour panser une blessure ou éviter une intoxication alimentaire lorsque l'on voyage. Elle peut aussi être utile pour traiter les infections existantes à l'intérieur et à l'extérieur du corps. De nos jours, elle est surtout connue en tant que remède contre le rhume et la grippe. Son action puissante contre les bactéries résistantes aux médicaments et les infections virales fait d'elle une alternative adéquate aux antibiotiques d'ordonnance et aux autres médicaments antimicrobiens.

Anti-inflammatoire, antispasmodique, analgésique, antirhumatismale et rubéfiante

L'huile d'origan possède des propriétés anti-inflammatoires et analgésiques qui la rendent utile dans le traitement de nombreuses affections qui occasionnent des inflammations et des douleurs. En application topique, elle soulage l'inconfort des muscles et des articulations endoloris, les blessures résultant de la pratique d'un sport, les plaies, les brûlures, les piqûres d'insecte et les autres irritations cutanées. En ingestion, elle aide à soulager les maux de tête et les troubles digestifs. Dans les affections où les douleurs et l'inflammation sont des symptômes d'infection (p. ex., les douleurs dentaires), l'huile d'origan représente un traitement idéal : elle combat l'infection énergiquement tout en soulageant la douleur.

L'huile d'origan possède plusieurs qualités qui la rendent efficace pour soulager les muscles et les articulations endoloris : (1) sous forme d'huile essentielle, elle est absorbée rapidement par la peau et pénètre profondément dans les tissus; (2) elle diminue la douleur et l'endolorissement; (3) elle réduit l'inflammation; (4) son action *antispasmodique* calme les tissus spastiques; (5) en tant qu'*antirhumatismal*, elle assouplit les articulations et améliore la mobilité; (6) c'est aussi un *rubéfiant* qui favorise la circulation du sang dans la région traitée, soulage, procure une sensation de chaleur et aide à éliminer les sous-produits d'une inflammation précédente; et (7) comme toutes les huiles végétales, elle renforce les mécanismes de reconstruction naturels du corps et le processus de guérison.

Toutes ces propriétés rendent l'huile d'origan efficace contre l'arthrite, les douleurs du dos, la sciatique, les oignons, la bursite, les crampes musculaires, les foulures et les entorses. Elle peut rendre les meilleures techniques de massage encore plus stimulantes; d'ailleurs les masseurs sont de plus en plus nombreux à l'utiliser dans leurs cabinets.

Vulnéraire

En plus de son action antimicrobienne, analgésique et anti-inflammatoire, l'huile d'origan possède des propriétés vulnéraires, c'est-à-dire qu'elle accélère la guérison des plaies et des brûlures, réduit la formation de tissus cicatriciels et prévient la dégénérescence tissulaire. Elle représente un produit de premiers soins indispensable et devrait être présente dans tous les lieux de travail comportant un risque élevé de blessure, dans les vestiaires athlétiques, et en possession des amateurs de sports extrêmes et de tous ceux qui passent du temps à la campagne.

Expectorante, antitussive et antipyrétique

L'huile d'origan est aussi un puissant expectorant, ce qui signifie qu'elle déloge les sécrétions et le mucus des sinus et des poumons. Elle est aussi antitussive et antipyrétique; elle soulage donc la toux et combat la fièvre. Ces trois propriétés s'associent aux puissants principes anti-germes de l'huile d'origan ce qui explique sa réputation historique de remède contre les rhumes, la grippe et les troubles respiratoires tels que la bronchite et la sinusite.

Carminative, cholérétique et stomachique

L'huile d'origan est un carminatif qui soulage les gaz et aide à réguler le système digestif. Comme cholérétique, elle stimule les excrétions de bile et aide à digérer les matières grasses, à garder le taux de cholestérol bas, et à éliminer les toxines et les impuretés de l'organisme. Elle est également considérée comme stomachique, c'est-à-dire qu'elle facilite et tonifie le processus digestif en soulageant les troubles gastriques et en améliorant la digestion et l'appétit. Ses propriétés anti-inflammatoires et antispasmodiques contribuent elles aussi à la digestion en relâchant et en apaisant les tissus spastiques et enflammés de l'estomac et des intestins. Grâce à toutes ces propriétés, l'huile d'origan est utilisée pour traiter les affections comme l'indigestion, les ballonnements, les crampes d'estomac, la nausée, la diarrhée et les gaz. Dans certains cas, ce ne sont là que les symptômes d'infections latentes; les bactéries, les virus, les mycoses et les parasites s'installent souvent dans le système digestif créant ainsi des pathologies. Lorsqu'on a affaire à une infection, l'huile d'origan se met en action pour éliminer les pathogènes envahissants tout en soulageant les symptômes et en améliorant les fonctions et la santé du système digestif.

Certains experts médicaux recommandent l'huile d'origan en application interne dans le cadre d'un protocole de traitement plus vaste de la maladie de Crohn et de la colite. Ces affections digestives sont souvent liées à des infections et se caractérisent par de sévères inflammations, des tissus spastiques et des plaies. L'huile d'origan combat l'infection, calme et soulage l'inflammation et les spasmes des parois intestinales, contribue à guérir les ulcères et les lésions, et peut aider à réduire les ballonnements et l'inconfort.

Tonique et immunostimulante

L'huile d'origan est considérée comme un tonifiant qui renforce et revigore l'organisme, améliore les performances, et restaure l'équilibre et les fonctions des systèmes et appareils de l'organisme. Elle agit aussi comme stimulant du système immunitaire en augmentant l'activité des globules blancs qui combattent les infections (cytophylactique), et en stimulant le foie et la rate qui filtrent et nettoient le sang (hépatique et splénétique). Comme nous l'avons déjà mentionné, elle stimule également la digestion et la circulation sanguine ce qui favorise indirectement l'immunité. Grâce à ces propriétés, l'huile d'origan est un excellent remède lorsque vous vous sentez apathique et déprimé; elle vous donne un coup de fouet, vous redonne de la vitalité et restaure l'équilibreperdu.

Nervine

L'huile d'origan a une action nervine, c'est-à-dire qu'elle renforce et tonifie le système nerveux et contribue à restaurer l'équilibre et les fonctions. Beaucoup lui attribuent un léger effet apaisant et prétendent qu'ils dorment mieux lorsqu'ils prennent de l'huile d'origan. Elle peut aider à combattre l'anxiété, l'insomnie, les états de stress et d'autres troubles d'ordre nerveux.

> Pour moi, l'huile essentielle d'origan a toujours démontré des effets étonnants dans le traitement des maladies infectieuses. En plus de son action antibactérienne, elle permet aussi de prévenir les spasmes, les convulsions et les troubles nerveux. À mon sens, ses qualités antispasmodiques aident à mettre en synergie ses fabuleux pouvoirs antiseptiques, ce qui me réconforte chaque fois que je la prescris à mes patients. – Dr Paul Belaiche

Autres propriétés

L'huile d'origan est un puissant *antioxydant* qui réduit les dommages de l'oxydation dont on croit être un facteur contribuant à l'apparition de maladies liées à l'âge. En fait, de nombreuses études scientifiques ont prouvé qu'elle était beaucoup plus efficace pour arrêter la production de radicaux libres que la plupart des plantes et des fruits.

Les textes sur les plantes médicinales et l'aromathérapie citent également l'origan comme *antitoxique* et *anti-venin*. Elle contre les effets des toxines et des poisons, et neutralise le venin des piqûres d'insecte et des morsures de serpent. Bien entendu, si vous êtes mordu par un serpent, il convient de voir un médecin d'urgence mais si l'huile d'origan est fréquemment appliquée et administrée par voie orale, elle pourra certainement aider et vous maintenir en vie pendant votre transport à l'hôpital.

Consommateurs, attention aux huiles frelatées

L'industrie des huiles essentielles est peuplée de profiteurs qui diluent ou manipulent les huiles essentielles avant de les commercialiser sous l'appellation « pure et naturelle ». Bien que la dénaturation de l'huile d'origan soit rare, elle existe bel et bien et les distillateurs peuvent employer des méthodes indétectables par une analyse de laboratoire. À mesure que l'huile d'origan devient populaire, les détaillants et les consommateurs se doivent d'être vigilants pour s'assurer que les produits sont purs et de haute qualité.

La dénaturation de l'huile d'origan touche à sa teneur en carvacrol, son principal principe actif. Dans la mesure où les niveaux de carvacrol sont associés à la puissance antimicrobienne, il y a une augmentation de la demande de produits à haute teneur en carvacrol. Les distillateurs méditerranéens sont susceptibles d'élever artificiellement la teneur en carvacrol pour satisfaire la demande étrangère qui ne réclame que l'huile d'origan la plus puissante qui soit. Cela peut se faire en ajoutant du carvacrol de synthèse. Par ailleurs, ils vont parfois jusqu'à fournir une garantie écrite stipulant que l'huile est « pure et naturelle » ainsi qu'une analyse chimique confirmant sa puissance.

Les autorités reconnues en matière d'huile d'origan sont des distilleries méditerranéennes qui produisent des huiles essentielles de qualité thérapeutique à usage médical. Elles bénéficient d'une réputation de longue date et possèdent des décennies, si ce n'est des générations, d'expérience dans ce secteur. Selon ces experts, un produit d'origan affichant une teneur en carvacrol de 85 pour cent est susceptible d'être dénaturé. Même si elles sont rares, certaines plantes d'origan spécifiques peuvent, il est vrai, contenir naturellement un degré élevé de ce composé marqueur mais il faut des milliers de plantes pour créer ne serait-ce qu'un petit volume d'huile. Il est donc évident qu'il n'existe pas assez de plantes exceptionnelles pour produire des volumes industriels d'huile d'origan contenant plus de 85 pour cent de carvacrol.

Seule l'huile d'origan *authentique* contenant la composition chimique originale et non altérée des plantes est considérée comme sans danger pour un usage thérapeutique. Elle seule peut démontrer toute l'efficacité et les innombrables bienfaits qui ont rendu l'huile d'origan si populaire ces dernières années.

Lorsque vous choisissez votre marque d'huile d'origan, n'oubliez pas que les experts du secteur affirment que 75 à 85 pour cent de carvacrol est le degré naturel le plus élevé qui puisse être atteint, lot après lot, à partir des espèces les plus puissantes. En présence de produits affichant un taux plus élevé, méfiez-vous.

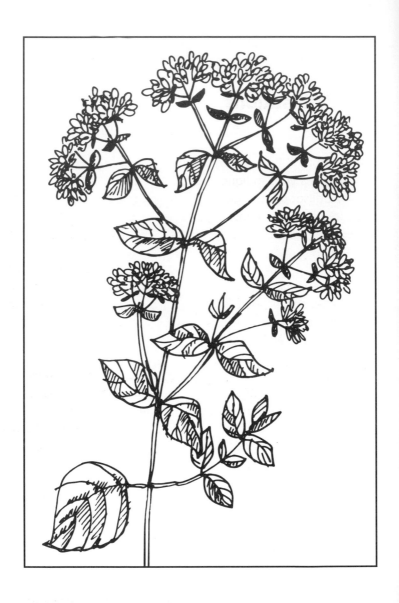

3

Utilisations pratiques de l'huile d'origan

De nombreux ouvrages concernant les plantes et les huiles essentielles vous indiquent simplement quelles plantes vous devez utiliser pour soigner certains maux, et ne vous donnent que peu ou pas d'instructions quant à la manière de les utiliser. Ce livre a pour but de vous enseigner les doses exactes et la manière précise d'utiliser l'huile d'origan en fonction de problèmes de santé spécifiques. J'espère que vous apprécierez et que vous partagerez les passionnantes connaissances que vous êtes sur le point d'acquérir. Pour consulter un résumé des affections pouvant être traitées avec l'huile d'origan, reportez-vous à l'Annexe A : « Liste des affections ».

Il existe de nombreuses marques d'huile d'origan. J'utilise la marque *Joy of the Mountains* qui est diluée dans un rapport de 1:3 (25 pour cent d'huile d'origan pure diluée dans 75 pour cent d'huile d'olive) et qui contient de 75 à 85 pour cent de carvacrol d'origine naturelle. Dans une récente étude canadienne, des chercheurs de la University of British Columbia ont découvert que *Joy of the Mountains* était plus efficace contre le virus H1N1 que les autres marques d'huile d'origan présentes sur le marché canadien qui affichaient un degré de carvacrol plus élevé et/ou une concentration plus forte d'huile d'origan dans l'huile de conservation.[41]

USAGE INTERNE

La plupart des affections requérant un usage interne d'huile d'origan sont d'origine infectieuse et font appel aux principes antibactériens, antiviraux, antifongiques ou antiseptiques de l'huile d'origan. Cependant, pour soigner certaines de ces affections internes, d'autres propriétés de l'huile d'origan peuvent également être bénéfiques, en particulier ses propriétés anti-inflammatoires, antispasmodiques, antitussives, carminatives, cholérétiques, antitoxiques ou antivenimeuses, en fonction de l'affection.

Voici quelques directives générales sur la façon d'utiliser l'huile d'origan en application interne. La posologie se base sur une huile d'origan diluée à 1:3 (quantité d'huile d'origan par rapport à l'huile de conservation) qui est la plus courante sur le marché. Bien que l'huile soit pré-diluée, vous trouverez dans ce livre de nombreux exemples où l'huile devra être davantage diluée.

Attention : les produits labellisés « Oregano Oil » en anglais (et non « Oil of Oregano ») sont des huiles essentielles pures, non diluées qui doivent être diluées à 1:3 à la maison pour être utilisées en toute sécurité (et pour que les directives fournies dans ce livre soient applicables). Pour plus de sécurité et de commodité, optez pour les produits labellisés

« Oil of Oregano » qui sont généralement dilués à 1:3. Dans la mesure où les dilutions peuvent varier, vérifiez attentivement l'étiquette pour être sûr que la dilution est convenable (1:3 ou plus) avant d'utiliser le produit.

Mode d'emploi pour un usage interne

Dose orale recommandée pour un adulte

En cas d'infection, prenez de 5 à 10 gouttes. Si vous n'avez jamais utilisé d'huile d'origan, commencez par une petite quantité pour voir si votre organisme la tolère. En prévention, prenez cinq gouttes ou plus si nécessaire. Vous pouvez prendre l'huile d'origan avant, pendant ou après les repas en fonction de votre état de santé et de votre tolérance.

Fréquence d'utilisation

Trois à cinq fois par jour devrait suffire en fonction de la personne et de l'infection spécifique. En cas d'infection plus sérieuse, prenez jusqu'à 10 doses en 24 heures.

Mode d'emploi

L'huile d'origan est connue pour être très épicée. Cette sensation est normale et se dissipe rapidement.

Ingestion : la façon la plus simple de prendre l'huile d'origan est de placer les gouttes sur la langue et de boire un grand verre d'eau.

Sous la langue : l'ingestion la plus directe est l'ingestion sublinguale, qui signifie littéralement « sous la langue ». Déposez quelques gouttes sous la langue et attendez quelques minutes avant d'avaler avec de l'eau. La salive se formera rapidement et dissipera le goût épicé. L'absorption sublinguale entraîne les principes chimiques de l'huile d'origan directement vers le sang qui la diffuse rapidement dans tout l'organisme. C'est là la façon la plus directe et immédiate de traiter les infections. En revanche, si l'on avale (ingère) l'huile d'origan, elle doit être digérée par le système digestif afin d'être entièrement absorbée par le flux sanguin.

Cela dit, l'ingestion d'huile d'origan s'est révélé une voie efficace d'administration pour le traitement de tous les types d'infections internes. Par ailleurs, l'ingestion est la voie privilégiée dans le cas des troubles digestifs dans la mesure où elle met les principes chimiques de l'origan en contact direct avec le système intestinal affecté ou infecté. Si vous n'aimez pas le goût de l'huile d'origan, vous pouvez l'acheter en gélules ou, si vous préférez la versatilité des flacons standard avec compte-gouttes, vous pouvez confectionner vos propres gélules. L'huile d'origan peut être mélangée à du jus, à du yaourt ou à du miel. Le jus de tomate est souvent choisi. Certains en ajoutent de petites quantités d'huile d'origan aux sauces, marinades, soupes, salsas, trempettes ou assaisonnements à salade pour leur donner le goût distinctif de l'origan et profiter de son pouvoir désinfectant afin de déguster viandes et salades vertes en toute sérénité.

Enfants : cf. « Traitement recommandé pour les enfants » où vous trouverez les directives relatives à la façon d'administrer oralement l'huile d'origan aux enfants ainsi que les doses appropriées en fonction du groupe d'âge.

Avertissement

L'huile d'origan produit une sensation très piquante dans la bouche qui finit par s'estomper. Les femmes enceintes ou celles qui allaitent doivent éviter de l'utiliser oralement ou en application topique. Même si de nombreuses femmes enceintes et qui allaitent ont utilisé l'huile d'origan sans se plaindre d'effets secondaires, aucune étude fiable n'a été menée sur les femmes de cette catégorie. Lorsque vous prenez la dose orale recommandée ci-dessus, buvez beaucoup d'eau pour aider à éliminer les toxines du corps. Si des doses plus élevées ou un usage prolongé sont nécessaires, envisagez de prendre des suppléments probiotiques (cf. « Remarques importantes », pour de plus amples informations). Utilisez avec prudence si vous êtes allergique aux plantes de la famille des labiées (basilic, romarin, thym, menthe, sarriette, sauge, etc.). Une dermatite de contact ou une réaction allergique systémique peuvent également apparaître. Si vous constatez une éruption cutanée ou de l'urticaire, ou si votre respiration s'emballe ou devient irrégulière, consultez un médecin immédiatement. Il n'existe pas d'interactions médicamenteuses connues. Gardez hors de portée des jeunes enfants.

Affections pouvant être traitées par application interne

Varicelle, rougeole et oreillons

La varicelle, la rougeole et les oreillons sont des infections virales susceptibles de réagir positivement aux composés phénoliques naturels et à la phytochimie exclusive de l'huile d'origan. Pour toutes ces affections, prenez la dose orale recommandée. Pour la varicelle et la rougeole, vous pouvez également utiliser l'huile d'origan en application topique sur des lésions qui demandent une attention immédiate à l'aide d'un mélange dilué à 1:2 (un volume d'huile d'origan pour deux volumes d'huile d'olive). Pour traiter les vésicules présentes sur le visage, diluez à au moins 1:4 et évitez les yeux et les narines. Pour la rougeole, en plus de l'administration par voie orale, faites une application topique sur les glandes enflées plusieurs fois par jour.

Rhume et grippe

Nul doute que les rhumes et les grippes sont devenus plus fréquents ces dernières années. Avez-vous remarqué le nombre de gens malades chaque hiver et comment les infections réapparaissent pendant les mois d'été? À un certain moment, la saison des rhumes et des grippes s'est transformée en année des rhumes et des grippes. Les très jeunes et les très vieux ne sont pas les seuls à être infectés; désormais, les jeunes adultes actifs et en santé sont aussi gravement touchés. Certaines personnes attrapent même la grippe plusieurs fois par an. Que se passe-t-il? Les experts en naturopathie expliquent que les gens ont des systèmes immunitaires plus faibles de nos jours comparé aux décennies passées, et cela s'explique par toute une série de raisons parmi lesquelles on retrouve l'augmentation du stress, une plus grande exposition aux toxines, une nourriture déficiente en minéraux et en éléments nutritifs, la mauvaise qualité de l'air et de l'eau, l'utilisation des téléphones cellulaires et l'exposition à d'autres fréquences électromagnétiques. Et la liste ne s'arrête pas là. Dans la mesure où notre ligne de défense est défoncée, la porte est grande ouverte pour le rhume et la grippe. Et, bien entendu, ces virus sont plus virulents que jamais.

Les antibiotiques sont totalement inefficaces contre les virus. Les médicaments antiviraux et les vaccins contre la grippe que les médecins proposent sont eux aussi largement inutiles. Qui plus est, la bénignité de ces produits pharmaceutiques fait grand débat de même que la fiabilité des statistiques qui justifient qu'on continue à les utiliser. La vérité c'est que la médecine moderne a bien peu à offrir contre le virus du rhume et de la grippe.

Heureusement, nous avons l'huile d'origan. Cet antibiotique naturel représente un traitement sans danger et efficace contre les souches virulentes de rhume et de grippe qui apparaissent aujourd'hui. Depuis son apparition sur le marché, il y a vingt ans, elle est devenue un remède populaire contre le rhume et la grippe pour la simple raison qu'elle est efficace. Et, dans la mesure où ses diverses actions médicinales font d'elle un traitement complet, l'huile d'origan :

- Combat les infections bactériennes et virales.
- Stimule l'immunité.
- Soulage la congestion des sinus et des poumons.
- Calme la toux et le mal de gorge.
- Aide à combattre le mal de tête et la fièvre.
- Contribue à vous protéger des maladies autour de vous.

Mode d'emploi : prenez la dose orale recommandée. La voie sublinguale est préférable dans la mesure où elle permet d'atteindre plus rapidement les poumons et les sinus congestionnés et infectés, et de soulager les quintes de toux. Cependant, cette méthode est optionnelle et l'ingestion est également possible. On peut également traiter les quintes de toux par une application topique d'huile d'origan sur la poitrine. Si vous avez la peau sensible, diluez à 1:1 dans de l'huile d'olive (un volume d'huile d'origan pour un volume d'huile d'olive). Si vous avez mal à la gorge, référez-vous au paragraphe « Mal de gorge » ci-dessous. Continuez à prendre les doses orales recommandées pendant plusieurs jours après votre rétablissement complet et une fois que tous les symptômes ont disparu pour vous assurer que l'infection a été éliminée.

Prévention : prenez quelques gouttes en fonction de vos besoins. Que vous soyez chez vous avec vos enfants, au bureau, dans une salle de classe ou en avion, ayez toujours de l'huile d'origan avec vous. Elle représente une protection puissante lorsque tous ceux qui vous entourent sont malades.

Troubles digestifs

Dans bien des cas de troubles digestifs, l'huile d'origan, se révéler utile. La plupart de ces troubles sont liés à des infections, qu'elles soient d'origine bactérienne, fongique ou parasitaire. Nombreux sont ceux qui emportent de l'huile d'origan en voyage pour se protéger des pathogènes présents dans les aliments et dans l'eau. Lorsque la qualité des aliments et de l'eau est suspecte, il suffit d'en prendre quelques gouttes avant ou après avoir mangé ou bu.

Les personnes atteintes de la maladie de Crohn ou de colite ont constaté les effets bénéfiques de l'huile d'origan en association avec un protocole de traitement plus vaste. Ces troubles sont souvent liés à des infections et se caractérisent par de sévères inflammations de la paroi intestinale. L'huile d'origan permet de soulager et de guérir les tissus enflammés et endommagés, et de réduire les spasmes. Elle contribue également à éliminer les ballonnements, les crampes et les gaz, tout en combattant les éléments infectieux de la maladie. Il existe cependant de nombreuses causes potentielles qui concourent à déclencher des maladies digestives chroniques et les résultats individuels peuvent varier. En raison de la gravité potentielle de ces troubles, il convient de consulter un médecin naturopathe avant d'essayer l'huile d'origan. Commencez avec quelques gouttes pour voir comment votre organisme tolère l'huile d'origan et ne dépassez pas les doses orales recommandées.

Indigestion, crampes, ballonnements, gaz et nausée

Vous souffrez de douleurs abdominales, de crampes, de ballonnements ou d'autres problèmes digestifs? L'huile d'origan peut vous aider. Prenez-en plusieurs gouttes avec un grand verre d'eau ou de lait. Répétez l'opération si nécessaire au bout d'une ou deux heures. Si vous êtes amené à consommer certains aliments dont vous savez qu'ils provoquent des troubles, essayez de prendre de l'huile d'origan immédiatement avant de les consommer. Si vos symptômes sont attribués à une infection diagnostiquée, prenez la dose orale recommandée jusqu'à ce que l'infection disparaisse. Si les symptômes sont fréquents et réguliers, consultez un médecin. Si les brûlures d'estomac s'accentuent, cessez le traitement.

Maladie de Lyme

La maladie de Lyme est une infection bactérienne transmise par la morsure d'une tique infectée. Dans les premiers stades, une grosse éruption cutanée peut apparaître dans la région de la morsure et d'autres éruptions peuvent se produire ailleurs. Des symptômes semblables à ceux de la grippe sont courants, y compris une raideur du cou, des frissons, de la fièvre, un gonflement des ganglions, des maux de tête, de la fatigue et des douleurs musculaires et articulaires.

Comme dans le cas de la grippe, ces symptômes se résolvent généralement en quelques jours ou en quelques semaines. Dans les stades les plus avancés de la maladie, les crises douloureuses récurrentes et le gonflement des articulations sont courantes, et des problèmes neurologiques peuvent apparaître des semaines, des mois, voire des années après la morsure de tique initiale. La maladie de Lyme peut être difficile à diagnostiquer dans la mesure où de nombreux symptômes ressemblent à ceux d'autres affections. Bien sûr, une morsure de tique donne une information cruciale mais, bien souvent, les gens ne se rappellent pas avoir été mordus par une tique et sont intrigués par les symptômes qu'ils ressentent. Si la maladie est repérée tôt, on prescrit souvent des antibiotiques qui peuvent aider mais de nombreuses souches sont résistantes. À un stade avancé, la maladie de Lyme est notoirement difficile à soigner.

Grâce à son efficacité éprouvée contre les bactéries résistantes aux médicaments, l'huile d'origan peut être utile pour soigner cette affection. Bien entendu, comme pour tous les médicaments, qu'ils soient naturels ou pharmaceutiques, les résultats varient en fonction des individus. Les facteurs déterminants du succès peuvent dépendre de la santé immunitaire de la personne atteinte, ainsi que de l'engagement et de la régularité du traitement. Un des aspects les plus complexes de la maladie de Lyme est de constater quand l'infection est terminée afin d'arrêter le traitement. Les tests diagnostiques habituellement utilisés, connus sous l'appellation de sérologies, sont critiqués pour leur manque de précision. En résumé, la maladie de Lyme échappe à la médecine moderne. En conséquence, vous pouvez décider que vous n'avez rien à perdre en essayant l'huile d'origan.

Mode d'emploi : prenez la dose orale recommandée. Aux stades initiaux de la maladie, utilisez l'huile d'origan en application topique à l'endroit de la morsure et dans les régions où l'éruption cutanée apparaît. Utilisez l'huile du flacon sans la diluer sauf si vous traitez des enfants (cf. « Traitement recommandé pour les enfants »). Complétez le traitement oral par de généreuses applications sur la plante des pieds, la colonne vertébrale ou l'intérieur des cuisses au moins deux fois par jour (cf. « Infections internes » dans la rubrique Usages topiques). Encore une fois, utilisez l'huile directement sortie du flacon sauf si vous traitez des enfants. Un traitement régulier et persistant est critique pour donner à l'huile d'origan une chance de succès. Il est également important de permettre à votre organisme de se reposer de l'huile d'origan. Il est recommandé de faire une pause d'une semaine après quatre semaines de traitement puis de reprendre pendant quatre semaines avant de prendre deux semaines de repos. Ensuite, continuez selon un cycle de quatre semaines de traitement suivies par deux semaines de pause. Il est également important de compléter le traitement par une dose élevée de probiotiques (cf. « Remarques importantes », pour plus d'informations) et de boire beaucoup d'eau saine chaque jour pour éliminer les toxines de l'organisme. Il ne faut pas dépasser six mois de traitement sans consulter un médecin.

Infections respiratoires et congestion

Les infections respiratoires causent des décès dans le monde entier. On estime que la pneumonie tue, à elle seule, quatre millions de personnes chaque année, dont près de trente pour cent d'enfants de moins de cinq ans. La pneumonie de même que la bronchite se caractérisent par une mauvaise toux, une congestion pulmonaire, de la difficulté à respirer et des douleurs thoraciques. L'huile d'origan se révèle inestimable pour plusieurs raisons : elle combat énergiquement les bactéries et les virus à l'origine de ces maladies ainsi que les mycoses et les parasites qui sont aussi parfois la cause de la pneumonie. Par ailleurs, en application topique sur la poitrine, elle est particulièrement efficace pour soulager les quintes de toux, la congestion pulmonaire, et l'inflammation et la douleur pulmonaires.

Mode d'emploi : prenez la dose orale recommandée. La voie sublinguale est préférable dans la mesure où elle permet de diriger les composés actifs de l'huile d'origan plus directement et plus rapidement vers les voies respiratoires. Cependant, cette méthode est optionnelle et on obtient de bons résultats en avalant simplement l'huile d'origan. Continuez la posologie orale recommandée pendant plusieurs jours après votre rétablissement complet, lorsque tous les symptômes ont disparu, pour vous assurer que l'infection a bien été éliminée. En sus de la prise orale, des applications topiques et des inhalations de vapeur sont recommandées.

Applications topiques : appliquez l'huile d'origan généreusement sur la poitrine plusieurs fois par jour et au moment du coucher. L'huile essentielle d'origan pénètre profondément dans la poitrine afin d'agir sur les tissus infectés, congestionnés, enflammés et spastiques. De plus, vous pouvez appliquer l'huile d'origan sur la colonne vertébrale et la plante des pieds; c'est là une méthode courante d'administration des huiles essentielles en aromathérapie. Ces deux régions diffusent rapidement l'huile d'origan dans le flux sanguin qui la redirige vers le cœur et dans tout le système respiratoire. Essayez et vous serez étonné par les résultats. Chaque fois que vous appliquez l'huile d'origan directement sur la peau, attendez quelques minutes avant de remettre vos vêtements pour permettre à l'huile d'être absorbée. Il est normal de ressentir une sensation de chaleur et de constater une rougeur temporaire de la peau. Si vous avez la peau sensible, diluez l'huile à 1:1 dans le l'huile d'olive (un volume d'huile d'origan pour un volume d'huile d'olive).

Inhalation de vapeur : l'inhalation de vapeur est une autre manière de traiter les poumons infectés et congestionnés. Versez plusieurs gouttes d'huile d'origan dans un récipient plein d'eau bouillante. Couvrez-vous la tête d'une grande serviette, fermez les yeux, mettez votre visage au-dessus de l'eau (en créant une « tente de vapeur ») et inhalez profondément pendant cinq à dix minutes. En cas de congestion pulmonaire, inhalez par la bouche. En cas de congestion nasale, inhalez doucement par le nez. Vous pouvez aussi inhaler les vapeurs du flacon directement tout au long de la journée pour déloger le mucus.

Que vous fassiez appel à un ou à plusieurs des traitements mentionnés ci-dessus, faites toujours attention de prendre la dose orale d'huile d'origan recommandée jusqu'à ce que l'infection respiratoire ait disparu.

Sinusite, symptômes allergiques et congestion nasale

La sinusite et la rhinite ont des causes possibles très diverses et peuvent être difficiles à soigner tant que l'on n'en a pas déterminé la source. Lorsqu'on a affaire à une infection, l'huile d'origan peut être un traitement efficace dans la mesure où elle tue les virus, les bactéries, les mycoses et les moisissures responsables. Elle peut aussi apaiser l'inflammation et diminuer la congestion, ce qui représente un soulagement indéniable de cet état très frustrant.

Mode d'emploi : prenez la dose orale recommandée. La voie sublinguale est préférable dans la mesure où elle permet d'accéder plus directement et plus rapidement aux sinus. Cependant, cette méthode est optionnelle et l'ingestion est également efficace. En sus de l'application orale, il est recommandé de mettre des gouttes dans les sinus.

Gouttes dans les sinus : les gouttes d'huile d'origan pour les sinus sont un autre moyen de soulager la congestion et d'éliminer des sinus les moisissures, les mycoses, les bactéries et les virus ainsi que les allergènes comme le pollen, les squames d'animaux et les acariens. Versez-en 10 gouttes dans un flacon d'une once (30 ml) d'huile d'olive organique. Secouez avant chaque utilisation. Mettez deux ou trois gouttes dans chaque narine et inhalez profondément. Recommencez à quelques heures d'intervalle.

Mal de gorge

On a souvent mal à la gorge lorsque l'on commence à être enrhumé, mais il peut aussi s'agir de laryngite, de pharyngite ou d'angine streptococcique. Les angines streptococciques représentent 35 pour cent des cas de maux de gorge chez les enfants; elles sont causées par une bactérie appelée streptocoque du groupe A (Streptococcus pyogenes).

En général, elles se résolvent en quelques jours et pourtant un nombre incroyable de médecins prescrivent de la pénicilline ou de l'amoxicilline contre cette bactérie très commune. En conséquence de cet abus de prescription, de nombreuses souches sont devenues résistantes à ces deux antibiotiques. De récentes études ont montré que l'huile d'origan est très efficace contre les infections dues au streptocoque du groupe A (SGA). En plus de son pouvoir anti-infectieux, elle soulage la douleur et l'inflammation.

Mode d'emploi : prenez la dose orale recommandée. Faites aussi un rinçage oral en déposant quelques gouttes d'huile d'origan dans une cuillérée d'eau. Gargarisez-vous pendant 30 secondes et crachez. Répétez deux ou trois fois par jour. Surtout, appliquez de l'huile d'origan généreusement sur les deux côtés de la gorge, deux ou trois fois par jour. Si vous avez la peau sensible, diluez-la à 1:1 dans le d'huile d'olive (un volume d'huile d'origan pour un volume d'huile d'olive). L'huile essentielle pénètre profondément pour traiter la douleur, l'inflammation et l'infection. Vous serez étonné de la rapidité avec laquelle votre mal de gorge disparaît!

Problèmes dentaires et gingivaux

Vous avez des problèmes de maladie périondontique ou de recul des gencives? Il a été prouvé que l'huile d'origan élimine de nombreux types de bactéries orales qui contribuent aux maladies gingivales, y compris le Streptococcus mutans, qui joue un rôle crucial dans la formation de la plaque dentaire, des cavités dentaires, des caries et de la mauvaise haleine. De récentes études ont montré que les bactéries orales étaient liées aux maladies du cœur, du foie et des reins, ainsi qu'aux maladies des os et des articulations; l'importance de l'hygiène buccale n'est donc pas exagérée.

Mode d'emploi : pour avoir une bonne hygiène buccale et prévenir les problèmes dentaires, déposez environ deux gouttes d'huile d'origan sur votre dentifrice et brossez-vous les dents comme à l'habitude. Recommencez tous les jours pour avoir des dents et des gencives en meilleure santé, et pour prévenir les caries et les soins dentaires inutiles. Vous pouvez aussi vous rincer la bouche le matin et le soir avec quelques gouttes d'huile d'origan diluée dans un quart de tasse d'eau chaude (50 ml). En présence d'une infection buccale, telles que les caries et les abcès, faites tremper un coton-tige ou un tampon de coton dans de l'huile d'origan et appliquez-le directement sur la région infectée ou enflammée aussi fréquemment que nécessaire pour soulager l'inflammation et la douleur. Vous pouvez aussi en verser une ou deux gouttes sur votre doigt propre et appliquer. Vous pouvez enfin effectuer le rinçage (décrit plus haut) plusieurs fois par jour.

USAGE TOPIQUE

Vous trouverez ci-après des conseils généraux d'utilisation de l'huile d'origan en application externe. Suivent des instructions plus spécifiques à divers types d'affection basées sur l'hypothèse que votre huile d'origan est pré-di-

luée à 1:3 (volume d'huile d'origan par rapport à l'huile de conservation), ce qui est le cas de la plupart des produits qu'on trouve dans le commerce. Bien que l'huile soit déjà diluée, vous trouverez plusieurs exemples, dans ce livre, où l'huile d'origan doit être diluée davantage.

Attention : les produits labellisés « oregano oil » en anglais (par opposition à « Oil of Oregano ») sont de l'huile essentielle pure, non diluée, qui doit être diluée à 1:3 chez vous pour pouvoir être utilisée en toute sécurité (et pour que les conseils fournis dans le livre s'appliquent). Par mesure de sécurité et de commodité, privilégiez les produits labellisés « Oil of Oregano » qui sont généralement pré-dilués à 1:3. Dans la mesure où les dilutions peuvent varier, vérifiez soigneusement l'étiquette pour être sûr que la dilution est appropriée (1:3 ou plus) avant tout usage.

L'huile d'origan peut s'utiliser en application topique pour une des trois raisons suivantes : (1) traiter une infection interne; (2) traiter une infection topique; (3) traiter des affections externes qui ne sont pas liées à une infection, qu'il s'agisse d'une blessure, d'une maladie ou de premiers soins d'urgence.

Infections internes : de nombreuses affections liées à des infections pour lesquelles une dose orale est recommandée peuvent bénéficier d'applications topiques (vous en trouverez des exemples à la rubrique « Usages internes »). Les applications topiques peuvent être utilisées seules mais sont habituellement accompagnées de doses orales. Cela permet d'augmenter la quantité globale d'ingrédients actifs agissant sur l'organisme et d'offrir des angles d'attaque différents. En utilisant plusieurs approches, on met toutes les chances de son côté dans la bataille contre les infections virulentes que l'on connaît aujourd'hui.

Concernant les enfants, les applications topiques dans le cas d'infections internes sont souvent préférables en raison du goût prononcé de l'huile d'origan. Pour les enfants de moins de quatre ans, c'est la seule voie d'administration recommandée (cf. « Traitement recommandé pour les enfants »).

Infections topiques : les applications topiques d'huile d'origan sont couramment utilisées pour traiter les infections topiques. En fonction du type et de la gravité de l'infection, une dose orale est parfois aussi recommandée. Par exemple, dans le cas de l'infection d'une plaie aiguë, d'une morsure de chien ou de la varicelle.

Affections externes (sans infection) : il existe également de nombreuses affections externes qui ne sont pas liées à une infection et qui réagissent très bien aux nombreuses propriétés médicinales de l'huile d'origan. Le traitement de ces affections est toujours limité aux applications topiques directement sur les régions affectées à la différence des applications topiques en cas d'infections internes dans lesquelles l'huile d'origan est généralement appliquée sur la plante des pieds, sur la colonne vertébrale ou sur la peau au plus près de l'organe infecté.

Mode d'emploi pour un usage topique

Mode d'emploi

Traitement des infections internes : en plus de la dose orale recommandée, vous pouvez appliquer de l'huile d'origan généreusement sur la plante des pieds et le long de la colonne vertébrale. Ces régions sont très absorbantes. Les principes actifs de l'huile d'origan pénètrent rapidement dans le sang à travers la peau où ils circulent dans tout le corps pour combattre les infections où qu'elles se situent. Pour traiter un organe infecté, l'huile d'origan peut également être appliquée sur la peau à proximité de l'organe (p. ex., les poumons, les reins, la vessie, les voies urinaires, l'estomac, les intestins, etc.). Attendez quelques minutes avant de mettre des vêtements pour permettre à l'huile d'être absorbée.

Traitement des infections topiques et des affections externes : appliquez l'huile d'origan généreusement sur la partie infectée ou affectée avec une main ou un doigt propre. En fonction de la sensitivité de la peau et de l'affection à traiter, il peut s'avérer nécessaire de diluer l'huile d'origan dans de l'huile d'olive dans un rapport de 1:4.

Enfants : cf. « Traitement recommandé pour les enfants » pour savoir comment préparer et utiliser l'huile d'origan en application topique en fonction de l'âge de l'enfant.

Fréquence d'utilisation

Sauf spécification contraire concernant une affection spécifique (voir ci-dessous), répétez l'opération plusieurs fois par jour et avant le coucher.

Avertissement

Une sensation de chaleur et une rougeur passagère de la peau sont normales. L'huile d'origan peut irriter les peaux sensibles. Diluez-la dans de l'huile d'olive en fonction de la sensitivité de la peau et de l'affection spécifique (voir ci-dessous). Diluez-la pour traiter les narines et les muqueuses génitales. Évitez les yeux et les canaux auriculaires si l'huile d'origan n'est pas bien diluée (cf. « Infections auriculaires »). Pour retirer l'huile d'origan des yeux, rincez-les abondamment à l'eau. Les femmes enceintes ou qui allaitent doivent éviter de l'utiliser, que ce soit oralement ou en application topique. Même si de nombreuses femmes enceintes ou qui allaitent ont utilisé l'huile d'origan sans signaler d'effets secondaires, il n'existe aucune étude qui démontre la bénignité de l'huile d'origan pour les femmes de cette catégorie. Utilisez-la avec précaution si vous êtes allergique aux plantes de la famille des labiées (basilic, romarin, thym, menthe, sarriette, sauge, etc.). Une dermatite de contact allergique et une réaction allergique systémique sont possibles. Si vous constatez une éruption cutanée ou de l'urticaire, ou que votre respiration devient rapide ou irrégulière, consultez immédiatement un médecin. Il n'existe pas d'interactions médicamenteuses. Conservez hors de portée des jeunes enfants.

Affections pouvant être traitées par application topique

Boutons d'acné et pores bouchés

Frottez délicatement une seule goutte d'huile d'origan sur chaque bouton avant le coucher. La peau du visage est sensible et requiert une plus grande dilution lorsqu'on l'utilise sur des régions plus vastes pour éviter l'irritation et les rougeurs. Si vous avez une grande concentration de boutons sur le visage, diluez à 1:2 (un volume d'huile d'origan pour deux volumes d'huile d'olive) et jusqu'à 1:4. Pour les boutons et l'acné qui se trouvent sur d'autres régions du corps, utilisez directement l'huile du flacon ou diluez-la à 1:1 si vous avez la peau sensible. Évitez les yeux et les narines. Une légère sensation de chaleur et une rougeur sont normales, et disparaissent rapidement.

Feux sauvages

De nombreuses personnes souffrent d'éruptions douloureuses de feux sauvages. Elles n'ont plus besoin de souffrir! L'huile d'origan est utilisée avec succès comme antiviral et nombreux sont ceux qui ne jurent que par elle pour traiter cette affection spécifique. Lorsqu'une sensation de picotement annonce une éruption, appliquez une ou deux gouttes d'huile d'origan sur la partie affectée plusieurs fois par jour jusqu'à ce que le feu sauvage ait disparu.

Coupures, plaies, ampoules, ecchymoses et brûlures

Si l'huile d'origan s'est fait une réputation d'« armoire à pharmacie dans un flacon », cela tient en partie à sa capacité à traiter efficacement les coupures, les éraflures, les ampoules, les brûlures et les plaies de tout type y compris les plaies chirurgicales. Si vous ajoutez à cela les ecchymoses et les enflures causées par une blessure, vous comprendrez que vous avez là un remède que toutes les trousses de premiers soins devraient inclure. L'huile d'origan agit comme un puissant désinfectant qui pénètre profondément dans les tissus endommagés pour y combattre l'infection où qu'elle se trouve. Elle diminue aussi l'inflammation et la douleur des brûlures, les traumatismes fermés et d'autres « bobos » courants. Quels que soient les dommages tissulaires, l'huile d'origan accélère considérablement la guérison en permettant aux tissus de se régénérer rapidement, sans infection et avec une cicatrice minimale. Nombreux sont ceux qui ont utilisé l'huile d'origan avec succès sur les plaies chirurgicales qui sont à haut risque d'être infectées par des bactéries résistantes aux médicaments. Ces grandes incisions bordées de points de suture laissent généralement d'affreuses cicatrices de champ de bataille mais une application régulière d'huile d'origan permet de réduire au maximum la cicatrice, et les médecins sont souvent étonnés de la rapidité et de la qualité de la guérison. Et pour ceux qui se font facilement des bleus ou qui n'aiment pas l'aspect disgracieux des contusions douloureuses, les principes phytochimiques de l'huile d'origan réduisent rapidement les enflures et l'inconfort, accélère la guérison des capillaires endommagés, diminue la taille des bleus et les rend moins visibles.

Mode d'emploi : si une infection est déjà présente, appliquez généreusement sur la partie affectée plusieurs fois par jour et prenez la dose orale recommandée. Pour désinfecter, accélérer la guérison et réduire la douleur, l'inflammation et les ecchymosees, appliquez généreusement sur la partie affectée plusieurs fois par jour. En tant qu'antiseptique, l'huile d'origan peut causer une sensation initiale de picotement en fonction de l'affection; en quelques minutes, cependant, les propriétés analgésiques de l'huile réduiront tout éventuel inconfort.

Attention : consultez un médecin si nécessaire. N'appliquez pas l'huile d'origan sur un visage brûlé si elle n'est pas bien diluée (à 1:4 ou plus). La peau du visage est souvent trop sensible pour une application directe.

Pellicules

Ajoutez plusieurs gouttes à votre dose de shampooing et mélangez avant de l'appliquer à vos cheveux. Faites pénétrer dans le cuir chevelu et attendez quelques minutes avant de rincer. Évitez les yeux.

Infections auriculaires

Les infections auriculaires sont une des raisons les plus courantes pour lesquelles les parents consultent. Si elle est employée correctement, l'huile d'origan est un remède idéal. Elle combat les virus et les bactéries à l'origine des infections auriculaires, et soulage la douleur et l'inflammation.

Mode d'emploi : prenez la dose orale recommandée (pour les enfants, reportez-vous à « Traitement recommandé pour les enfants »). Appliquez l'huile d'origan généreusement autour de l'oreille plusieurs fois par jour. Des gouttes auriculaires diluées peuvent aussi se révéler utiles mais lisez le paragraphe « Attention » avant d'y recourir. Commencez par verser 10 gouttes dans un flacon compte-gouttes d'une once (30 ml) d'huile d'olive. Cette concentration convient à la plupart des gens. Si vous la trouvez trop puissante, vous pouvez toujours diluer le mélange dans le canal auriculaire en ajoutant de l'huile d'olive pure pour réduire la puissance et l'évacuer. Faites couler de l'eau chaude sur le flacon pour réchauffer le mélange avant de l'utiliser. Allongez-vous sur le côté et faites tomber plusieurs gouttes dans l'oreille infectée. Attendez quelques minutes ou tant que vous n'êtes pas indisposé. Prévoyez un mouchoir en papier pour essuyer les gouttes lorsque vous vous levez; vous pouvez aussi boucher l'oreille avec du coton pour que l'huile d'origan reste à l'intérieur plus longtemps et qu'elle ait plus de temps pour agir. Les gouttes auriculaires peuvent être utilisées autant que vous le souhaitez mais une ou deux fois par jour suffisent généralement en association avec une dose orale et des applications topiques.

Attention : n'utilisez pas de gouttes auriculaires si vous avez des tubes dans les oreilles, si votre oreille coule ou si vous avez une raison de penser que la douleur peut être attribuée à autre chose qu'une infection. Dans de pareils cas, faites examiner vos oreilles par un médecin.

Parties génitales

En cas de crises d'herpès, diluez l'huile d'origan dans davantage d'huile d'olive (jusqu'à 1:4). Appliquez une seule goutte sur chaque lésion et attendez qu'elle soit absorbée. Essayez de verser quelques gouttes sur un pansement pour éviter que l'huile ne se répande ou soit absorbée par les sous-vêtements. En cas de brûlure ou d'irritation liée à une infection par levure, diluez à 1:4 (un volume d'huile d'origan pour quatre volumes d'huile d'olive) et appliquez aux parties génitales. En général, évitez les membranes de l'anus et des muqueuses génitales. Cependant, si l'huile d'origan est bien diluée, elle peut être appliquée à ces zones sans générer d'inconfort. Si vous avez besoin d'enlever l'huile d'origan rapidement, utilisez un mouchoir en papier ou un disque de coton trempé dans de l'huile d'arbre à thé pour l'essuyer. L'huile de l'arbre à thé est un article qu'il est bon d'avoir pour ce genre de situation.

Verrues des mains et des pieds

Trempez la peau dans de l'eau chaude pendant quelques minutes puis séchez. Retirez la peau morte à l'aide d'une lime ou d'une pierre ponce. Appliquez une goutte sur la verrue et laissez pénétrer. Répétez plusieurs fois par jour. Vous pouvez aussi verser quelques gouttes sur un pansement ou imbibez un mince morceau de coton et le fixer solidement avec un sparadrap. Les verrues sont tenaces, le traitement à l'huile d'origan doit donc être persistant si l'on veut qu'il porte ses fruits.

Désinfectant pour les mains

La population mondiale ne cessant d'augmenter, de même que les appareils portables et les passages dans des édifices publics, les toilettes publiques, les salles de sport et les bureaux bondés, il est devenu plus important que jamais de se laver les mains régulièrement. L'huile d'origan est un puissant désinfectant pour les mains que l'on peut ajouter au savon ou utiliser seule comme désinfectant pour les mains. Qui plus est, elle est sans danger pour l'environnement!

Mode d'emploi : ajoutez quelques gouttes d'huile d'origan à votre pain de savon pour contrer les souches de bactéries résistantes aux antibiotiques omniprésentes dans le monde actuel. L'huile d'origan renforcera le pouvoir germicide de votre savon et contribuera à désinfecter vos mains. Si vous avez une pompe à savon à la maison ou au bureau, mélangez quelques gouttes d'huile d'origan à votre savon liquide. Conservez-en un flacon dans votre voiture, votre sac à main et votre bureau afin de pouvoir l'utiliser après avoir ouvert des portes ou serré des mains. Il suffit de faire pénétrer quelques gouttes dans chaque main comme vous le feriez avec un autre désinfectant. L'efficacité germicide de l'huile d'origan est sans égale.

Poux

Si vous vous grattez la tête sans cesse, éprouvez des picotements ou voyez de petites taches blanches collées à vos cheveux, vous avez peut-être des poux.

Les pharmacies et les médecins proposent de nombreux traitements courants contre les poux de tête mais saviez-vous que nombre de ces traitements contiennent des produits chimiques nocifs qui ont été associés à l'eczéma et à d'autres affections cutanées, et même au cancer? Beaucoup de gens se plaignent d'inflammation et d'enflure au niveau du cuir chevelu et même de changements d'humeur lorsqu'ils utilisent ces traitements chimiques. L'huile d'origan est un moyen plus sûr et plus efficace de traiter les poux.

Mode d'emploi : diluez l'huile d'origan dans de l'huile d'olive dans un rapport de 1:2 (un volume d'huile d'origan pour deux volumes d'huile d'olive). Faites pénétrer une bonne quantité d'huile diluée dans le cuir chevelu et les cheveux en massant. Évitez les yeux. Laissez agir pendant une heure ou plus puis lavez et rincez. Répétez si nécessaire jusqu'à ce que le problème soit résolu. Il est aussi possible de verser 20 gouttes d'huile d'origan dans un vaporisateur de 200 ml et de le remplir ensuite avec de l'eau chaude. Vaporisez alors le cuir chevelu trois ou quatre fois par jour avec cette solution et, au bout de deux ou trois jours, les poux auront disparu. N'oubliez pas de vous protéger les yeux.

Infection fongique des ongles

Appliquez fréquemment l'huile d'origan sur la partie infectée en faisant en sorte qu'elle pénètre bien autour et sous l'ongle. Essayez de verser de l'huile sur un mince tampon de coton et de le fixer sur l'ongle à l'aide d'un adhésif. Essayez d'utiliser un doigtier pour recouvrir le doigt et ainsi maintenir l'huile en contact avec la surface de l'ongle et éviter qu'elle ne se répande sur les claviers, les vêtements, le linge, etc. Les infections fongiques des ongles sont virulentes et doivent être traitées régulièrement et avec persistance.

Gale

Les traitements d'ordonnance contre la gale sont notoirement toxiques. L'huile d'origan est un antiparasitaire naturel que beaucoup de gens utilisent avec succès dans ce cas. Diluez l'huile d'origan dans de l'huile d'olive dans un rapport de 1:2 (un volume d'huile d'origan pour deux volumes d'huile d'olive).

Appliquez uniformément depuis le cou jusqu'aux orteils et recouvrez d'une mince couche toute la surface du corps en prenant soin d'éviter les membranes muqueuses (parties génitales, anus, yeux et narines). Appliquez l'huile d'origan en plus grande quantité sur les parties visiblement infectées en fonction de la sensibilité de la personne. Il est conseillé aux hommes dont le système pileux est abondant de raser leurs poils au préalable. Cela permet de réduire la quantité d'huile nécessaire pour recouvrir le corps et de l'étaler uniformément sur toutes les régions. Attendez que l'absorption se fasse avant de vous rhabiller. Lavez et rincez au bout de 12 heures. Lavez ou nettoyez le linge, les tapis, les meubles et les vêtements comme à l'habitude. Réappliquez l'huile d'origan sur les parties visiblement infectées les jours qui suivent.

Attention : n'utilisez pas ce traitement si vous pensez être enceinte, si vous allaitez ou si vous pensez être allergique à l'huile d'origan.

Affections cutanées

Une des raisons pour lesquelles l'huile d'origan est devenue si populaire ces dernières années tient à sa versatilité qui lui permet de traiter un large éventail d'affections cutanées. Une fois encore, cela s'explique par son incroyable combinaison d'actions médicinales dont la synergie fait de l'huile d'origan un traitement complet.

Vous pouvez l'utiliser contre les infections virales, bactériennes, fongiques et parasitaires ainsi que toutes les affections externes associées à une inflammation, à une tuméfaction, à des douleurs, à une irritation, à un dessèchement, à des démangeaisons et à une guérison lente. Parmi les affections cutanées non encore mentionnées dans les autres parties du livre, on peut citer : la dermatomycose, la rosacée, le zona, les crises d'herpès, le pied d'athlète, les affections urticantes, le psoriasis, l'eczéma, les piqûres d'insecte, les ulcérations, l'urticaire, les furoncles, et la peau sèche et craquelée.

Mode d'emploi : certaines affections cutanées sont générées par des infections internes qui requièrent un traitement oral et des applications topiques plusieurs fois par jour. C'est le cas de la dermatomycose, de la couperose et des crises d'herpès. D'autres affections topiques localisées doivent être traitées uniquement par des applications cutanées, plusieurs fois par jour.

Dans le cas des affections externes qui réagissent aux autres principes actifs de l'huile d'origan, des applications topiques plusieurs fois par jour sont suffisantes. Pour plus d'informations, consultez la rubrique « Usages topiques ». On peut soigner le psoriasis et l'eczéma par des applications topiques d'huile d'origan mais l'infection n'est qu'une des nombreuses causes possibles de ces affections et il convient donc de demander l'avis d'un praticien holistique.

Douleurs, blessures et contractures musculaires

Beaucoup de gens trouvent que l'application topique d'huile d'origan aide à soulager les douleurs et les contractions musculaires, et à soigner les blessures athlétiques plus graves. Un nombre croissant de masseurs utilisent l'huile d'origan dans leurs cabinets et la recommandent à leurs patients.

L'huile d'origan possèdent diverses qualités qui en font un remède efficace pour soulager les muscles et les articulations douloureux : (1) sous forme d'huile essentielle, elle pénètre profondément dans les tissus et atteint le problème à la source; (2) elle réduit la douleur; (3) son action anti-inflammatoire s'associe à son action antispasmodique pour détendre et apaiser les tissus enflammés et spastiques; (4) c'est aussi un antirhumatismal, ce qui signifie qu'elle soulage la raideur articulaire et améliore la mobilité; et (5) comme les autres huiles médicinales, elle renforce les mécanismes de réparation naturels du corps et le processus de guérison.

Mode d'emploi : appliquez l'huile d'origan généreusement et faites-la pénétrer dans la peau en massant. Si vous souhaitez couvrir une plus grande partie du corps, vous pouvez diluer l'huile d'origan dans davantage d'huile d'olive (dans un rapport de 1:1) pour que votre flacon dure plus longtemps.

Douleurs articulaires

Que vos douleurs articulaires soient chroniques ou le fait d'une blessure récente, l'huile d'origan peut vous aider. Appliquez-la généreusement et faites-la pénétrer en massant de tous les côtés de l'articulation, plusieurs fois par jour. De nombreuses personnes souffrant d'arthrite en disent beaucoup de bien.

Coups de soleil

L'huile d'origan est un traitement efficace des coups de soleil dans la mesure où elle réduit l'inflammation, prévient l'apparition de cloques et accélère la guérison en aidant les cellules à se régénérer plus rapidement. Elle change rapidement les coups de soleil légers en bronzage.

Mode d'emploi : mélangez quelques gouttes d'huile d'origan à une cuillérée à soupe de gel d'aloès et appliquez immédiatement après l'exposition au soleil pour soulager la brûlure et l'inflammation, et prévenir les cloques. Réappliquez si nécessaire dans les jours qui suivent pour aider à la guérison et éviter que la peau ne pèle. Comme antiseptique, l'huile d'origan produit une sensation de picotement initiale mais, au bout de quelques minutes, ses propriétés analgésiques font disparaître cet inconfort.

Attention : n'appliquez pas l'huile d'origan sur une brûlure du visage à moins qu'elle ne soit bien diluée (dans un rapport de 1:4 au moins). La peau du visage brûlée est trop sensible pour être traitée par application directe.

TRAITEMENT RECOMMANDÉ POUR LES ENFANTS

Vous trouverez ci-dessous des recommandations pour traiter les enfants avec l'huile d'origan. Les doses et les instructions se basent sur une huile d'origan pré-diluée à 1:3 (huile d'origan pure par rapport à l'huile de conservation) que l'on trouve généralement dans le commerce. Bien que l'huile soit déjà diluée, elle doit être diluée davantage pour les applications topiques sur les jeunes enfants (voir ci-dessous).

Vous devez d'abord connaître la dilution qui convient à l'âge de votre enfant; vous trouverez ensuite dans le livre des instructions relatives à certaines affections qui requièrent des dilutions plus grandes encore.

Attention : les produits labellisés « oregano oil » en anglais (par opposition à « Oil of Oregano ») sont de l'huile essentielle pure, non diluée et doivent être dilués à 1:3 à la maison afin d'être utilisés sans danger (et pour que les instructions fournies dans ce livre s'appliquent). Pour plus de sécurité et de commodité, privilégiez les produits labellisés « Oil of Oregano » qui sont généralement dilués à 1:3. Dans la mesure où le taux de dilution peut varier, vérifiez attentivement l'étiquette pour être sûr qu'il est adéquat (1:3 ou plus) avant l'emploi.

Usage interne

La plupart des affections qui requièrent un usage interne sont liées à une infection et font appel aux principes actifs antibactériens, antiviraux, antifongiques et antiparasitaires de l'huile d'origan. Cependant, dans le cas de certaines affections internes, d'autres propriétés de l'huile d'origan sont également précieuses, en particulier ses principes actifs anti-inflammatoires, antispasmodiques, antitussifs, carminatifs, cholérétiques, antitoxiques et/ou antivenimeux, en fonction de l'affection.

Dose orale recommandée

Ne donnez pas d'huile d'origan par voie orale aux enfants de moins de quatre ans. Vous pouvez donner trois gouttes aux enfants de quatre à dix ans, trois à cinq fois par jour. Pour les enfants de 10 ans et plus, utilisez cinq gouttes, trois à cinq fois par jour.

Mode d'emploi

L'huile d'origan est connue pour son goût très piquant. Cette sensation est normale et se dissipe rapidement. Le meilleur moyen de prendre de l'huile d'origan est d'en placer quelques gouttes sur la langue et de l'avaler avec un grand verre d'eau ou de jus. Ne déposez pas les gouttes dans la bouche de votre enfant sans avoir préparé une boisson et avant de lui avoir donné des instructions claires quant à l'importance de boire tout le verre.

De nombreux enfants détestent le goût de l'huile d'origan. Vous pouvez essayer d'en mélanger quelques gouttes à du jus, à du yaourt ou à du miel. Vous pouvez aussi acheter de l'huile d'origan en gélules ou, si vous préférez la versatilité du flacon doseur, vous pouvez fabriquer vos propres gélules. Une autre alternative (ou un complément aux doses orales) est d'utiliser l'huile d'origan en application topique pour traiter les infections internes. Cependant, certaines affections se traitent plus efficacement par voie orale (p. ex., les troubles digestifs).

Ne pas utiliser

Les enfants de moins de quatre ans ne doivent pas ingérer l'huile d'origan. Consultez la rubrique « Avertissements concernant les enfants » ci-dessous.

Usage topique pour les infections internes

L'huile d'origan peut être appliquée de façon topique pour traiter tous les types d'infection (rhumes, grippes, rougeole, oreillons, etc.). Étant donné son goût amer et prononcé, cela peut être une alternative intéressante à l'administration par voie orale. C'est la seule façon de l'administrer aux enfants de moins de quatre ans.

Préparation

Si votre huile d'origan est déjà diluée dans un rapport de 1:3, ajoutez-y de l'huile d'olive (ou une autre huile de dilution) en respectant les taux suivants en fonction de l'âge. Nous recommandons l'huile d'amande douce biologique certifiée pour les bébés et les jeunes enfants. Une cuillérée à soupe d'huile de dilution suffit pour préparer plusieurs applications. Pour les enfants de 0 à 3 mois, diluez 15 gouttes d'huile d'origan dans une cuillérée à soupe d'huile et mélangez bien. Pour les enfants de 4 à 6 mois, diluez 30 gouttes d'huile d'origan dans une cuillérée à soupe d'huile d'olive et mélangez bien. Pour les enfants de 7 à 12 mois, diluez 50 gouttes dans une cuillérée à soupe d'huile et mélangez bien. Pour les enfants de 1 à 3 ans, diluez 75 gouttes d'huile d'origan dans une cuillérée à soupe d'huile et mélangez bien. Pour les enfants de 4 à 6 ans, diluez 100 gouttes d'huile d'origan dans une cuillérée à soupe d'huile d'olive et mélangez bien. Pour les enfants de 7 à 10 ans, diluez 200 gouttes d'huile d'origan dans une cuillérée à soupe d'huile d'olive et mélangez bien (cela représente une dilution d'environ 1:2 sachant qu'une cuillérée à soupe équivaut à près de 450 gouttes). Pour les enfants de 10 ans et plus, utilisez une dilution dans de l'huile d'olive dans un rapport de 1:1 ou de 50/50, ou utilisez l'huile du flacon telle quelle, en fonction de la sensibilité de la peau. N'oubliez pas que la dilution que vous effectuez n'est qu'un début; certaines consignes contenues dans cet ouvrage prévoient une dilution plus importante (en fonction de l'affection).

Mode d'emploi

Appliquez plusieurs gouttes sur la plante des pieds et le long de la colonne vertébrale. Ces zones absorbent particulièrement bien. L'huile d'origan pénètre rapidement à travers la peau dans le sang et circule dans tout l'organisme pour y combattre les infections où qu'elles se trouvent. Pour traiter un organe infecté, appliquez plusieurs gouttes sur la peau dans la région de l'organe à traiter (p. ex., les poumons, les reins, la vessie, les voies urinaires, l'estomac, les intestins, etc.). Dans la mesure du possible, attendez 30 minutes avant d'essuyer tout excédent d'huile et de remettre vos chaussettes ou votre vêtement. Cela permettra à l'huile essentielle d'origan de pénétrer dans les tissus, le flux sanguin et les organes. Une sensation de chaleur et une rougeur passagère sur la peau sont normales.

Fréquence d'utilisation

Sauf mention contraire, appliquez l'huile plusieurs fois par jour et avant le coucher (cf. fréquence d'utilisation recommandée en fonction des affections dans la rubrique « Usages topiques » de la section consacrée aux adultes).

Usage topique en cas d'affections externes

L'huile d'origan peut également être appliquée de manière topique contre tous les types d'infections bactériennes, virales, fongiques et parasitaires qui se manifestent à l'extérieur de l'organisme. Parmi les exemples d'infections, on peut citer les plaies infectées, les coupures et les plaies, les éruptions cutanées, la rougeole, la varicelle, la gale, les poux, les boutons d'acné et les feux sauvages. De nombreuses autres affections externes, non infectieuses, peuvent être soulagées par les vertus anti-inflammatoires, antidouleur, vulnéraires, expectorantes, antitussives et autres propriétés médicinales de l'huile d'origan. Par exemple, les piqûres d'abeille, les bosses et les hématomes, les foulures et les entorses, les plaies, la congestion, la toux et les symptômes d'allergie.

Préparation

Si votre huile d'origan est déjà diluée dans un rapport de 1:3, ajoutez-y de l'huile d'olive (ou une autre huile de dilution) en respectant les taux suivants en fonction de l'âge. Nous recommandons l'huile d'amande douce biologique certifiée pour les bébés et les jeunes enfants. Une cuillérée à soupe d'huile de dilution suffit pour préparer plusieurs applications. Pour les enfants de 0 à 3 mois, diluez 15 gouttes d'huile d'origan dans une cuillérée à soupe d'huile et mélangez bien. Pour les enfants de 4 à 6 mois, diluez 30 gouttes d'huile d'origan dans une cuillérée à soupe d'huile d'olive et mélangez bien. Pour les enfants de 7 à 12 mois, diluez 50 gouttes dans une cuillérée à soupe d'huile et mélangez bien. Pour les enfants de 1 à 3 ans, diluez 75 gouttes d'huile d'origan dans une cuillérée à soupe d'huile et mélangez bien. Pour les enfants de 4 à 6 ans, diluez 100 gouttes d'huile d'origan dans une cuillérée à soupe d'huile d'olive et mélangez bien. Pour les enfants de 7 à 10 ans, diluez 200 gouttes d'huile d'origan dans une cuillérée à soupe d'huile d'olive et mélangez bien (cela représente une dilution d'environ 1:2 sachant qu'une cuillérée à soupe équivaut à près de 450 gouttes). Pour les enfants de 10 ans et plus, utilisez une dilution dans de l'huile d'olive dans un rapport de 1:1 ou de 50/50, ou utilisez l'huile du flacon telle quelle, en fonction de la sensibilité de la peau. N'oubliez pas que la dilution que vous effectuez n'est qu'un début; certaines consignes contenues dans cet ouvrage prévoient une dilution plus importante (en fonction de l'affection).

Mode d'emploi

Appliquez plusieurs gouttes sur la zone infectée ou affectée à l'aide de votre main ou de votre doigt propre. Dans la mesure du possible, attendez 30 minutes avant d'essuyer tout excédent d'huile et de remettre vos vêtements. Cela permettra à l'huile essentielle d'origan de pénétrer dans les tissus. Une sensation de chaleur et une rougeur passagère de la peau sont normales.

Fréquence d'utilisation

Sauf mention contraire, appliquez l'huile plusieurs fois par jour et avant le coucher (cf. fréquence d'utilisation recommandée en fonction des affections dans la rubrique « Usages topiques » de la section consacrée aux adultes).

Avertissements concernant les enfants

Les enfants de moins de quatre ans ne doivent pas être traités par voie orale.

Lorsque l'on administre la dose orale recommandée ci-dessus, il faut faire boire un grand verre d'eau. Pour les doses plus élevées et les traitements de longue durée, il convient de donner un supplément probiotique (cf. « Remarques importantes », pour plus d'informations). En usage topique, une sensation de chaleur et une rougeur passagère de la peau sont normales. Diluez l'huile d'origan dans de l'huile d'olive en fonction de la sensitivité de la peau. Évitez les yeux, les canaux auriculaires, les narines et les parties génitales. Les enfants doivent éviter de toucher l'huile d'origan avec les mains dans la mesure où ils finissent toujours par porter leurs mains à leurs yeux. Veuillez bien informer vos enfants de ce problème. Pour enlever l'huile d'origan des yeux, rincez-les abondamment avec de l'eau. Gardez hors de portée des jeunes enfants. Il n'existe pas d'interactions médicamenteuses connues.

Utilisez avec prudence si votre enfant est allergique à la famille des plantes labiées (basilic, romarin, thym, menthe, sarriette, sauge, etc.). Une dermatite de contact et une réaction allergique systémique peuvent apparaître mais sont rares. Si votre enfant déclenche une éruption cutanée ou une crise d'urticaire, ou encore si sa respiration s'accélère et devient irrégulière, consultez un médecin immédiatement. Il est conseillé de faire un test sur une petite portion de peau avant d'utiliser des quantités plus importantes d'huile sur de plus grandes parties du corps.

USAGES DOMESTIQUES

Laver les fruits et les légumes

Combien de fois a-t-on entendu aux nouvelles que des gens avaient contracté l'hépatite A en mangeant des fraises cultivées au Mexique, la salmonellose ou une intoxication alimentaire due à l'E. Coli en consommant des épinards ou des choux de Bruxelles provenant de Californie? Qui sait où les fruits et les légumes achetés par votre magasin ont séjourné, avec quelles mains ils ont été en contact. L'huile d'origan peut avantageusement être utilisée comme désinfectant pour éliminer les pathogènes alimentaires de vos salades ou autres produits crus.

N'oublions pas que les fruits et les légumes du magasin qui ne sont pas « certifiés biologiques » contiennent des herbicides et des pesticides. Ces produits chimiques s'accumulent dans notre organisme et contribuent à de graves maladies chroniques, et à des malformations chez les enfants et les fœtus. Dans la mesure où ils sont à base d'huile, les herbicideset les pesticides ne partent pas lors d'un simple rinçage. Les composés de l'huile d'origan peuvent contribuer à éliminer ces résidus chimiques nocifs.

Mode d'emploi

Dans l'évier ou dans un récipient en verre, ajouter 10 gouttes d'huile d'origan à une petite quantité de produit vaisselle ou de nettoyant pour fruits et légumes. Assurez-vous qu'ils sont 100 % végétaux. Remplissez une bassine d'eau chaude et remuez pour faire mousser. Ajoutez-y les fruits et les légumes et laissez tremper pendant 15 minutes environ.

Une fois qu'ils ont trempé, brossez-les à l'aide d'une brosse à légumes douce pour éliminer le reste du produit. Pour de meilleurs résultats, déposez une goutte d'huile d'origan directement sur la brosse. Rincez abondamment. Concernant les produits délicats comme les fraises et les épinards, faites-les tremper dans l'évier ou dans un récipient pendant 15 minutes avant de les rincer soigneusement à l'eau chaude et de les laisser sécher. Assurez-vous de nettoyer votre récipient ou l'évier qui seront alors souillés par les résidus chimiques des produits.

Désinfectant ménager

Vous êtes-vous déjà demandé pourquoi les choses ont une odeur? De nombreuses odeurs agréables sont dues à des principes phytochimiques des plantes qui nous entourent. De nombreuses odeurs désagréables viennent de la pollution et des produits chimiques de synthèse de notre environnement, et certaines odeurs particulièrement répugnantes proviennent de bactéries. La recherche scientifique montre qu'un nombre alarmant de germes et de bactéries sont présents dans l'air que nous respirons. Heureusement, il existe un moyen efficace non seulement d'éliminer les odeurs nauséabondes mais aussi d'éviter la propagation des maladies à la maison, au bureau et dans la communauté.

L'huile essentielle d'origan est extrêmement volatile, ce qui signifie qu'elle s'évapore facilement. Ainsi, elle peut être utilisée dans un diffuseur domestique pour éradiquer les odeurs et désinfecter l'air. Lorsqu'un membre de la famille est malade, diffuser les composés phytochimiques de l'huile d'origan dans l'air aide non seulement la personne malade mais contribue également à éviter que les autres ne soient contaminés. L'huile d'origan peut être diffusée sans danger toute l'année pour conserver un environnement sans germes et sans odeurs.

Il existe de nombreux types de diffuseurs différents dans le commerce. Les diffuseurs de type bougie sont les plus communs mais les diffuseurs ultrasoniques et les nébuliseurs sont préférables si votre budget vous le permet.

Mode d'emploi

Air : si vous avez un diffuseur, suivez les instructions de votre modèle spécifique et utilisez de l'huile d'origan comme huile de diffusion. Si vous n'avez pas de diffuseur, mettez 100 gouttes dans un vaporisateur propre de 500 ml rempli d'eau et mélangez bien avant chaque emploi. Grâce à cette solution bon marché, vous pouvez humidifier l'air de votre foyer ainsi que les tapis et les meubles.

Comptoirs/Salles de bains : vaporisez régulièrement vos comptoirs avec une dilution d'huile d'origan afin de garder votre environnement sans germes. Dans la mesure où l'huile d'origan n'est pas toxique, elle ne pollue pas votre maison et votre environnement par des éléments chimiques nocifs. Elle ne favorise pas non plus les souches résistantes de bactéries. Ajoutez un minimum de 100 gouttes d'huile d'origan à 500 ml d'eau dans un vaporisateur, secouez bien et vaporisez abondamment. N'oubliez pas de secouer le vaporisateur avant chaque emploi.

Tapis/Moquettes : avec le même rapport (100 gouttes dans 500 ml) dans un vaporisateur, vaporisez légèrement les tapis et moquettes avant de passer l'aspirateur; cela leur donnera une odeur fraîche et agréable. Cette technique permet aussi d'éliminer les moisissures ainsi que les acariens qui sont susceptibles d'avoir été déposés dans vos tapis ou moquettes par vos animaux familiers. N'oubliez pas de bien agiter le flacon avant chaque usage.

Remarque : l'huile d'origan pure non diluée peut être utilisée à la place de l'huile d'origan pour les applications mentionnées ci-dessus si vous la diluez dans un rapport de 25 gouttes pour 500 ml d'eau.

Le saviez-vous? Certains hôpitaux français et anglais diffusent de l'huile d'origan et d'autres huiles essentielles pour éliminer les pathogènes présents dans l'air. Au Japon, certaines entreprises utilisent l'huile d'origan dans leurs systèmes de climatisation pour réduire les maladies de leurs employés et améliorer l'humeur et la productivité.

Protection des plantes

L'huile d'origan peut être utilisée pour traiter de nombreux types de maladies des plantes et éliminer les nuisibles dans la mesure où elle contient tous les composés phytochimiques qui protègent la plante d'origan des nuisibles et des pathogènes présents dans la nature. Parmi les nombreux éléments phytochimiques de l'huile d'origan, on peut citer le limonène. Le limonène contribue à protéger les feuilles d'origan sauvage des insectes et des autres organismes nuisibles en imitant une hormone d'insecte qui repousse les autres insectes. Les autres éléments phytochimiques présents dans l'huile d'origan appartiennent à la catégorie des terpénoïdes qui éliminent les moisissures et les autres formes de mycoses.

Mode d'emploi

Commencez par verser 25 gouttes d'huile d'origan dans un vaporisateur contenant 500 ml d'eau. Agitez bien avant chaque usage. Vaporisez la zone concernée ou toute la plante si elle est infestée d'insectes. Vaporisez bien sous les feuilles. Évitez de vaporiser les plantes lorsqu'elles sont exposées à la lumière directe du soleil pour que les feuilles ne soient pas « brûlées ». Pour de meilleurs résultats, attendez le soir. Répétez l'opération tous les jours et arrêtez le traitement lorsque la plante est à nouveau en santé et/ ou que les organismes nuisibles ont disparu. Les nuisibles proviennent souvent de la terre. En plus de vaporiser la plante (comme indiqué ci-dessus), utilisez un mélange d'eau et d'huile d'origan pour éliminer les nuisibles du sol à tous les stades de développement. Mélangez 25 gouttes d'huile d'origan à 500 ml d'eau et versez ce mélange au pied de la plante pendant le temps d'arrosage habituel. Après l'arrosage, vaporisez la surface du sol avec un mélange concentré de 100 gouttes pour 500 ml destiné à éliminer tous les insectes qui remontent à la surface après l'arrosage.

4

Les succès de l'huile d'origan

De toutes les informations que je peux livrer à l'appui de l'utilisation de l'huile d'origan, la plus convaincante est peut-être le fait que des milliers de gens bénéficient des bienfaits de ses usages pratiques dans leur vie quotidienne.

Les histoires qui suivent proviennent directement de personnes qui décrivent, avec leurs propres mots, comment elles ont utilisé l'huile d'origan pour traiter tout un éventail de problèmes de santé. En lisant ces témoignages, vous comprendrez mieux ce qui rend l'huile d'origan incroyable. Un grand merci à Joy of the Mountains qui a eu l'amabilité de nous communiquer plusieurs témoignages sur ses produits.

RHUME ET GRIPPE

Prévention du rhume et de la grippe

Depuis que j'ai découvert l'huile d'origan, je ne tombe plus malade. Je dirige une garderie et je suis donc en contact permanent avec les germes, les virus, etc. Dès que je sens qu'un rhume ou une grippe arrive, je prends de l'huile d'origan et « paf », les symptômes disparaissent ! Mélissa L., Gatineau (QC)

Symptômes du rhume et de la grippe

Lorsque je commence à ressentir les symptômes du rhume ou de la grippe, je prends de l'huile d'origan de Joy of the Mountains; ça arrête le développement du rhume à chaque fois. Je parle à tout le monde des bienfaits de l'huile d'origan et je recommande toujours Joy of the Mountains! Lisa C., Victoria (BC)

Rhume, grippe, mal d'oreille et inflammation

Je viens d'avoir le rhume et la grippe associés à un mal d'oreille. La douleur et l'inflammation étaient telles que je pouvais à peine parler ou manger, ce qui en temps normal m'aurait envoyée chez le médecin pour qu'il me prescrive des antibiotiques. Heureusement, j'avais de l'huile d'origan à la maison et j'ai commencé à en prendre. Au bout de deux jours, j'ai remarqué que mon mal d'oreille avait disparu de même que l'inflammation! J'ai toute confiance dans ce produit et je le recommande à tout le monde. Samantha W., R.M.T. Calgary (AB)

Rhume, grippe, problèmes de sinus et allergies

Je ne jure que par Joy of the Mountains. Au travail, je le recommande à tous ceux qui ont un rhume, une grippe, des problèmes de sinus ou des allergies. Après avoir utilisé des antibiotiques pendant trois mois pour traiter une infection des sinus, j'ai entendu parler de votre produit au magasin de produits de santé. Mes sinus se sont dégagés en trois jours. Je m'en sers maintenant en prévention (lorsque mes petits-enfants me rendent visite et qu'ils sont enrhumés). Dès que je sens un rhume arriver, j'en prends rapidement et j'évite ainsi un rhume ou une infection des sinus complets. Christine B., Sherbrooke (QC)

Rhume, grippe, stimulation immunitaire et Candida

En tant que phytothérapeute, j'ai souvent eu l'occasion de voir ce qui fonctionne le mieux en matière d'infections, naturellement. En haut de la liste? L'huile d'origan. Qu'on l'utilise pour stimuler l'immunité ou pour traiter une infection aiguë comme un rhume ou une grippe déclarés, l'huile d'origan a un effet rapide et fiable. Elle est aussi indispensable pour traiter la prolifération du Candida (levures) et les infections chroniques intestinales. L'action à large spectre de l'huile d'origan en fait un remède unique contre toute une série d'organismes : les bactéries, les virus, les mycoses, les levures et les parasites. Avec l'augmentation des germes virulents et résistants aux médicaments que nous connaissons aujourd'hui, l'huile d'origan est plus importante que jamais. Je conseille à tout le monde d'en avoir à disposition. Paulina N., RH (AHG), Vancouver (BC)

Toux et rhume

Tout l'hiver, j'ai réussi à survivre sans être malade mais récemment, à cause du temps qui change en permanence ici, à Toronto, j'ai fini par attraper un rhume. J'hésitais à acheter ce produit mais je me suis dit : pourquoi pas? 20 $, ça vaut la peine d'essayer. J'ai suivi les instructions et j'ai pris l'huile d'origan. Ça a été miraculeux, je n'arrive pas à croire à quel point je me sens mieux avec presque plus de toux. Merci infiniment pour ce merveilleux produit. Le fait qu'il soit canadien est encore plus fabuleux. Merci, Joy of the Mountains! Martin N, Mississauga (ON)

État de santé général et stimulant immunitaire

Nous prenons de l'huile d'origan tous les jours depuis plusieurs mois maintenant et notre médecin nous a déclarés en pleine santé. Nous avons eu des analyses sanguines et, selon le docteur, nous n'avons pas de cholestérol, notre système immunitaire est très robuste... Je suis convaincue que c'est grâce à l'huile. Geoffroy et moi-même en avons ressenti les bienfaits. Les rares rhumes que nous attrapons ne durent que quelques jours. Aussi, ma peau s'est éclaircie depuis que j'ai commencé à utiliser ce produit. Je le conseille fortement comme moyen de prévention quotidien. Nous aimons son goût et avons toujours envie d'en prendre. Tous nos remerciements pour la grande qualité de ce produit. Kari and Geoff N., Lethbridge (AB)

AFFECTIONS RESPIRATOIRES ET SINUS

Bronchite et toux chronique

Je souffre de bronchites à répétition depuis des années et d'une toux chronique très énervante qui semble ne jamais vouloir partir. Les médicaments d'ordonnance sont sans effet y compris deux types différents d'inhalateurs. Quand j'ai entendu parler des effets de l'huile d'origan sur la bronchite, j'ai immédiatement essayé Joy of the Mountains. En l'espace de deux semaines, ma bronchite a complètement disparu! Maintenant, je prends l'huile quand j'en ai besoin. Quelquefois, ma toux revient, et alors votre huile d'origan marche à tous les coups! Jay O., Victoria (BC)

Éternuements répétés/écoulements des sinus

Il y a peu, j'ai senti que j'attrapais froid; j'éternuais constamment et j'avais un écoulement des sinus. J'ai pris de l'huile d'origan en application interne (par voie orale) et j'en ai aussi mélangé cinq gouttes à une tasse d'eau bouillante. Je me suis mis la tête au-dessus de la tasse avec une serviette pour me couvrir et j'ai inhalé les vapeurs par le nez et la bouche, tout comme ma mère me faisait faire avec du menthol quand j'étais petit. J'ai fait ça pendant environ dix minutes. Je suis allé me coucher juste après et quand je me suis levé le lendemain, tous les symptômes avaient disparu et je me sentais bien. C'est là le rhume le plus court que j'ai jamais eu, moins de 24 heures. L'huile d'origan m'a tellement aidé que je ne cesse d'en parler à mes amis et à mes collègues quand ils me disent qu'ils ont un problème. Inutile de dire que nombre d'entre eux se sont rangés de mon côté après avoir essayé malgré leurs doutes. Ian M., Orleans (ON)

Pneumonie

J'utilise l'huile d'origan depuis quatre ans et je suis très content des résultats que j'obtiens à chaque fois avec ce produit. Il y a un an, ma mère a eu une pneumonie pendant trois semaines. Je lui ai parlé de l'huile d'origan et elle a décidé d'en prendre. À sa grande surprise, elle était presque totalement rétablie au bout de douze heures. Après trois jours, tous les symptômes de la pneumonie avaient disparu. À présent, elle est une militante convaincue des bienfaits de l'huile d'origan. Et j'ai depuis rallié nombre de mes collègues à la cause. Merci à vous, Joy of the Mountains. Frank D., Hinton (AB)

Pneumonie, toux et virus de l'air

J'ai acheté un flacon d'huile d'origan Joy of the Mountains mardi dernier. J'ai attrapé une pneumonie à Noël qui a duré jusqu'à la mi-janvier et je n'ai jamais cessé de tousser depuis. J'ai essayé les antibiotiques, Cold-FX, les inhalateurs, etc. Finalement, vendredi dernier, j'ai décidé d'essayer votre produit. ÇA A MARCHÉ! Même si mes sinus sont toujours un peu congestionnés, je ne tousse plus depuis samedi, pour la première fois cette année. Je suis tellement impressionnée par ces résultats! L'huile d'origan est devenue un des piliers de mon armoire à pharmacie. En fait, j'en ai toujours un flacon dans mon sac à main et je m'en sers quand je voyage dans la mesure où l'air des avions est plein de virus. Merci et continuez! Anne B., Gatineau (QC)

Infection des sinus

On m'a conseillé d'essayer l'huile d'origan pour traiter un début d'infection des sinus. J'en ai pris pendant deux jours et l'infection est partie. J'étais épatée alors j'ai continué à en prendre par mesure de prévention. Coralee B., St. Albert (AB)

Problèmes de sinus

Mon mari a un grave problème de sinus. Il prenait du Dristan et des drogues similaires en permanence. Je ne pouvais pas mettre de parfum en sa présence sans quoi il était immédiatement congestionné et ne pouvait respirer correctement. Le fait de passer du froid extérieur à un restaurant chauffé le congestionnait à nouveau et l'empêchait d'apprécier son repas. Quand il a entendu parler de l'huile d'origan, il a décidé de l'essayer. Il en a pris deux gouttes par jour et, en trois semaines, il a constaté un changement extraordinaire. Maintenant, je peux mettre du parfum sans l'empêcher de respirer! Vicki N., Kamloops (BC)

AFFECTIONS CUTANÉES

Infection fongique chronique des ongles

Les mycoses des ongles d'orteils m'empoisonnent la vie depuis plus de vingt ans et je n'ai jamais rien trouvé pour les éliminer. Un jour, j'ai entendu parler de l'effet de l'antibiotique naturel qu'est l'huile d'origan et j'ai commencé à en appliquer directement sur mes ongles d'orteils. J'ai été épatée. En l'espace de deux mois, j'ai commencé à constater une amélioration alors que pendant des années, j'avais essayé toutes les options possibles sans résultats. Tout ce que je peux dire c'est que je peux désormais porter des sandales en public et que mes ongles ont à nouveau l'air rose et sain. Merci, Joy of the Mountains! Carol C., Penticton (BC)

Affection cutanée chronique

Depuis six mois, j'utilise votre huile d'origan. Elle m'a été recommandée lors d'une réunion de personnes de 60 ans et plus. Je souffre d'une affection cutanée depuis quarante ans. J'ai consulté d'innombrables médecins et naturopathes. Aucun d'eux n'a jamais pu diagnostiquer le problème. On m'a prescrit toutes sortes de médicaments naturels et chimiques. Le seul produit qui m'ait soulagé jusqu'à ce jour est l'huile d'origan Joy of the Mountains. Certes, elle n'a pas guéri mon affection mais elle a réussi à éclaircir ma peau. Pour comprendre l'ampleur de mon affection, disons qu'elle couvre pratiquement tout mon corps à l'exception de mon visage. Je suis sûr que si je continue à utiliser l'huile d'origan, elle parviendra à améliorer l'aspect d'une peau affectée depuis 40 ans. J'ai fait part de cette expérience à de nombreuses personnes afin qu'elles profitent elles aussi de ses bienfaits sur leur santé. Continuez dans ce sens. Roy K., Vernon (BC)

Poux/lentes

Ma fille a attrapé des poux à l'école et elle me les a transmis. J'ai consulté votre site Web pour savoir comment les traiter. J'ai utilisé tout un flacon d'huile d'origan que j'ai mélangé avec de l'huile d'olive à 1:1. J'ai mis ce mélange sur notre cuir chevelu pendant cinq jours en enlevant tous les poux et lentes que je trouvais. (Nous avons conservé le mélange en cas de besoin). Je n'ai pas ressenti de sensation de « brûlure ». Ma fille, qui a la peau sensible, a ressenti une espèce de brûlure à 1:1 de dilution mais ce n'était pas insupportable. J'ai utilisé l'huile non diluée sur ma peau sans problème mais si je l'utilise telle quelle sur ma fille, sa peau devient rouge et irritée. C'est en partie pourquoi j'ai suivi les instructions en diluant à 1:1. Je n'ai pas remarqué de rougeur sur le cuir chevelu de ma fille ou sur le mien même si ma fille était un peu rouge à la base du cou. Nous avons toutes les deux dormi avec le produit sur la tête en mettant une serviette sur notre oreiller. Nous n'avons pas eu de produit dans les yeux. Je n'ai plus trouvé de poux vivants après deux jours et plus de lentes au bout de trois jours. Malgré tout, par acquis de conscience, j'ai continué le traitement sur cinq jours. À présent, nous sommes débarrassées des poux et nos cheveux sont devenus magnifiques par-dessus le marché. En plus, nous sentons la pizza, ce qui n'est pas désagréable. Nous utilisons énormément votre produit et je suis si contente de constater, une fois de plus, que dame nature nous a fourni un remède qui nous évite de recourir aux pesticides. J'ai parlé à la directrice et à l'infirmière de l'école de ma fille qui effectuent régulièrement les contrôles anti-poux. Elles doivent s'en tenir aux shampooings « éprouvés », etc. par rapport au document qui est distribué en classe lorsque des poux sont détectés. Néanmoins, entre femmes, je suis sûre que le bouche-à-oreille va fonctionner et que ça se saura que l'huile d'origan est une méthode alternative qui a donné de bons résultats dans notre cas. Edina K., Kelowna (BC)

Infection fongique des ongles et soins des animaux domestiques

Je voulais juste vous dire combien j'apprécie votre produit. Mon mari l'utilise pour traiter les mycoses sur ses gros orteils et maintenant nous traitons aussi l'infection urinaire de notre schnauzer nain. Bernice, Vancouver (BC)

Infection fongique des ongles, maux de dents et lèvres gercées

Nous venons d'Allemagne et avons découvert l'huile d'origan. Nous souhaitions vous remercier, c'est une excellente huile pour divers usages. Nous l'avons utilisée pour une infection des ongles (Nagelpilz-Infektion) et un mal de dents... Concernant l'infection des ongles, j'avais consulté en Allemagne mais rien ne m'avait aidé! Maintenant, grâce à l'huile d'origan, les mycoses sont parties. J'en ai parlé à beaucoup d'amis qui ont profité de l'huile d'origan. L'un d'eux est soudeur et travaille à l'extérieur dans des fermes; ses lèvres étaient très sèches et douloureuses. Une seule goutte d'huile d'origan dans un peu de Melkfett ou autre chose l'a aidé immédiatement. Il est si content qu'il a décidé d'acheter son propre flacon. La semaine dernière, j'ai emmené des étudiants de ma classe d'anglais au magasin de produits diététiques local et ils ont acheté de l'huile d'origan après que je leur ai vanté ses bienfaits! Karl T. (AB)

Infection fongique des ongles des pieds

J'avais une infection des ongles des deux pieds et après avoir versé dessus une goutte de Joy of the Mountains tous les jours pendant quelques mois, l'infection a complètement disparu et je n'ai plus de problèmes. Ma mère n'a pas reçu de soins des pieds corrects lorsqu'elle habitait dans un logement avec assistance. Elle souffrait tellement d'infections aux ongles des pieds que les ongles s'étaient recourbés. Ils redeviennent normaux grâce au même traitement. Sandra F., Hendersonville (NC)

DOULEURS MUSCULAIRES ET ARTICULAIRES

Fibromyalgie

Bonjour, je m'appelle Nabu. Je souffre depuis six ans de fibromyalgie. Mes mains sont si raides le matin que je dois les tremper dans de l'eau chaude mélangée à de l'huile d'origan pour pouvoir m'en servir. Au fil des années, j'ai tout essayé et quand je dis tout, c'est tout : régimes alimentaires, plantes, même la morphine. Les douleurs dans mon corps sont plus tenaces que tous ces traitements. Sans morphine, je ne peux même pas me lever du lit. Le temps froid est très pénible pour moi. Cependant, quand j'utilise votre huile d'origan pour masser mes jambes, mes bras et mon cou, je prends moins de morphine et ne crains pas les douleurs du matin. Imaginez ce que c'est que d'avoir des douleurs dans tout le corps en permanence. Votre huile d'origan a changé ma vie. Merci infiniment pour cette amélioration. J'ai l'impression que mes douleurs insupportables sont devenues plus légères... Les résultats que j'ai obtenus m'ont permis de sortir de mon fauteuil roulant et de me déplacer avec une marchette. Encore mille fois merci! Nabu B., Bellingham (WA)

Douleurs articulaires et blessures musculaires

Non seulement l'huile d'origan est efficace contre les infections mais c'est aussi un anti-inflammatoire qui aide à réduire la douleur lorsqu'on l'applique localement. Je la recommande pour les douleurs articulaires et les blessures musculaires, et pour accélérer la guérison de tous les types de plaies. Julie M., R.M.T. Summerland (BC)

Douleurs musculaires et toux/rhume

Je suis si heureuse d'avoir découvert l'huile d'origan de Joy of the Mountains! Je l'utilise quand ma fille a des douleurs musculaires; j'applique l'huile en massant la partie affectée et ça soulage la douleur. Je l'ai moi-même utilisée pour traiter la toux tenace que me causait un rhume. Je peux aussi dormir la nuit lorsque je prends de l'huile d'origan. Merci! Cathy W., Port Coquitlam (BC)

Entorse à la cheville

Quand je me suis fait une entorse à la cheville, j'ai mis de l'huile d'origan dessus. Ça a été très efficace et, le lendemain, je pouvais à nouveau marcher... il y avait un ecchymose mais je pouvais me déplacer sur mes deux pieds. Grâce à l'huile d'origan! Val O., Red Deer (AB)

BRÛLURES, PLAIES, COUPURES, HÉMATOMES ET AMPOULES

Brûlure

C'est une histoire incroyable : j'ai renversé l'eau bouillante de mon thé sur ma main gauche, au travail, il y a deux jours. C'est le haut de mon pouce qui a été le plus endommagé; la peau était rouge, irritée et chaude, et ça faisait très mal. J'ai eu peur que ça commence à faire des cloques alors je l'ai laissé sous l'eau froide pendant un moment. Ça soulageait mais dès que j'arrêtais, la douleur devenait à nouveau insupportable. Je suis allée à mon magasin de produits de santé avec une serviette en papier sur le pouce. La propriétaire du magasin m'a demandé ce qui se passait. Elle m'a tout de suite parlé de l'huile d'origan de Joy of the Mountains. Elle a pris un échantillon et en a versé juste une minuscule goutte sur la peau brûlée. Je l'ai laissé pénétrer pendant quelques minutes avant de frotter légèrement. Et, chose étonnante, au bout de 15 à 20 minutes, je ne ressentais plus aucune douleur. Une seule application et le tour était joué. La peau n'a pas cloqué ni pelé. Le lendemain matin, j'ai pu prendre une douche comme si de rien n'était. Ce produit est incroyable. Jay G., Calgary (AB)

Coupure/plaie

Ma coupure ne guérissait pas même après plusieurs jours. Je mettais du Polysporin dessus, en vain. Après ça, j'ai décidé de mettre une goutte d'huile d'origan dessus et le lendemain matin, j'ai été étonnée de voir que ma plaie s'était fermée et qu'elle était en voie de guérison. Depuis, j'ai toujours de l'huile d'origan avec moi et je l'utilise pour tout. Madja, Vancouver (BC)

Coupures, douleurs articulaires et rhumes

J'utilise l'huile d'origan sur les coupures graves et leur résorption est étonnante. Ma famille utilise l'huile d'origan pour toute sorte de problèmes, depuis les douleurs articulaires jusqu'aux rhumes. Ça fonctionne très bien et c'est une alternative naturelle fabuleuse. Nous utilisons Joy of the Mountains depuis plus de deux ans maintenant. Marcus H., Calgary (AB)

Brûlure à l'huile

Je viens de me brûler le bras avec de l'huile chaude. J'ai immédiatement appliqué de l'huile d'origan sur la brûlure pour réduire la douleur et l'inflammation. Il n'y a pas eu de cloques et, au bout d'une semaine, ma peau se régénère déjà! Mélissa L., Gatineau (QC)

AFFECTIONS BUCCALES

Hygiène dentaire

Je mets de l'huile d'origan Joy of the Mountains sur ma brosse à dents tous les jours. J'ai l'impression que mes dents viennent d'être nettoyées chez le dentiste! Mon hygiéniste dentaire m'a dit : « Quoi que vous fassiez, continuez! ». Debra S., Burns Lake (BC)

Santé dentaire et gingivale

J'utilise chaque jour Joy of the Mountains en bain de bouche. Ça élimine parfaitement les bactéries, ça conserve mes gencives en santé et ça me donne une haleine fraîche. J'ai une dent qui est « douteuse » depuis un traitement de canal. Dès qu'elle commence à faire mal, je sais que des bactéries y ont pénétré. Tout ce que j'ai à faire est appliquer de l'huile d'origan autour de la dent, en avaler quelques gouttes et l'infection s'en va. Ça m'a permis de sauver ma dent. Susan P., Vancouver (BC)

PROBLÈMES DIGESTIFS

Maladie cœliaque, côlon irritable et douleur dans les jambes

Je souffre de maladie cœliaque, du côlon irritable et de douleurs dans les jambes mais depuis que j'utilise Joy of the Mountains, mes symptômes ont beaucoup diminué. La douleur dans les jambes a complètement disparu. Roz C., Vernon (BC)

Colite

Je voulais juste vous envoyer ce court message pour vous dire que l'origan sauvage est un produit fabuleux qu'on peut utiliser pour tout. Je l'ai découvert en lisant le livre de Jini Patel Thompson, Listen to your Gut, puisque j'ai une colite. Lorsque je sens arriver une crise, je sors l'huile d'origan ainsi que d'autres produits naturels. Certes, elle met un moment à agir comme tous les produits naturels mais elle améliore grandement mes symptômes. Debbie, Sydney (Australie)

Bursite infectieuse, problèmes de sinus et douleurs articulaires

J'ai commencé à prendre de l'huile d'origan pour une maladie entérique inflammatoire. En deux semaines environ, j'ai constaté une amélioration. Et puis, j'ai vu que je respirais mieux par les deux narines... une chose que je n'avais pas pu faire pendant des années. J'ai aussi remarqué que mes douleurs articulaires s'étaient bien estompées. Je prends cinq à dix gouttes dans un peu d'huile d'olive, deux ou trois fois par jour. Merci pour ce merveilleux produit. Il fait maintenant partie de ma vie. Carl C., Abbotsford (BC)

Côlon irritable et problèmes d'estomac/gaz

Depuis que j'en prends régulièrement, le Syndrome du côlon irritable dont je souffre depuis au moins dix ans a complètement DISPARU. Je peux manger des aliments que je ne mangeais plus depuis des années. Je n'ai plus à souffrir de problèmes d'estomac et de gaz. Je me sens à nouveau normale! Coralee B., St. Albert (AB)

Maux d'estomac

J'utilise l'huile d'origan Joy of the Mountains depuis environ six mois, depuis que mon pharmacien naturopathe me l'a conseillée pour mes maux d'estomac. J'ai constaté qu'elle était aussi efficace qu'on le disait. Ian M., Orleans (ON)

MALADIES INFECTIEUSES

Infection de la jambe

Je prends de l'huile d'origan depuis plus d'un an maintenant, depuis ma dernière opération de la jambe. Avant cela, j'avais des infections à répétition à la jambe gauche dont je n'arrivais pas à me débarrasser, l'infection revenait toujours. Au bout d'un an, ma jambe ne s'est jamais mieux portée. Je n'ai plus besoin de mettre l'huile sur mon genou puisque le dernier scanner a confirmé qu'il n'y avait plus d'infection dans l'os et que tout était guéri. Merci pour votre huile d'origan, je dirais qu'elle m'a sauvé la vie. Je prenais d'autres médicaments à l'hôpital mais c'est grâce à l'huile d'origan que je suis guéri. C'est une personne très heureuse qui vous écrit! Arthur F., Mount Hope (ON)

Otite

Mon fils souffre d'otites récurrentes et s'est réveillé un matin avec de la fièvre et mal à l'oreille. J'ai frotté l'arrière de son oreille avec un peu d'huile d'origan et le lendemain matin, c'était fini. Merci pour cette huile, je ne sais pas ce que je ferais sans elle! Mélissa L., Gatineau (QC)

Zona

On m'a parlé de l'huile d'origan de Joy of the Mountains lorsque j'avais un zona. Mon médecin de famille m'avait dit que la douleur pouvait durer dix ans! Et sans mentir, le lendemain de ma première application topique d'huile d'origan, j'ai senti que la douleur s'estompait. Au bout de deux ou trois jours, la douleur avait complètement disparu; c'était il y a deux ou trois ans. Vous m'avez convertie! Patti S., High Level (AB)

Infection des orteils

J'ai arraché la cuticule d'un de mes ongles de pied et ça a causé une infection grave; mon pied a enflé, il était rouge et chaud et je n'arrivais plus à dormir. Alors j'ai pensé à l'huile. J'en ai mis une goutte dessus et miracle! Je me suis levée le lendemain et tout était correct. Mélissa L., Gatineau (QC)

Verrues

L'huile d'origan peut-elle éliminer les verrues? Elle l'a fait pour moi. Nettoyez la zone, appliquez une goutte d'huile d'origan sur la verrue et couvrez d'un pansement pour garder l'huile en contact avec la verrue. Laissez le pansement aussi longtemps que possible. Lorsque le pansement tombe, répétez les étapes précédentes. Continuez jusqu'à ce que la verrue ait disparu. Ça ne fait pas mal du tout. L'huile d'origan est un traitement naturel. Leigh M., New Westminster (BC)

Verrues sur les mains et les pieds

Je suis si contente! Ma petite fille s'est blessée au pied il y a plus d'un an et des verrues sont apparues à l'endroit de la blessure. Elles se sont répandues sur ses mains et sur l'autre pied en l'espace de quelques mois! Nous avons essayé tous les produits anti-verrues en vain. Et puis nous avons entendu parler de l'huile d'origan et j'ai lu qu'elle pouvait aider contre les verrues. Ma fille a immédiatement commencé à appliquer de l'huile le soir en portant des gants et des chaussettes au lit et, en deux mois, les verrues avaient disparu! Je ne plaisante pas, elles avaient toutes disparu! Merci Joy of the Mountains! Ma fille n'a plus honte de montrer ses mains et ses pieds. Mary Jane C.

AMÉLIORATION DU SOMMEIL

Problèmes de sommeil

Les personnes âgées de notre communauté sont intriguées par les remèdes dont elles peuvent disposer. Une dame qui est propriétaire d'un deli local se plaignait depuis longtemps de ne pas dormir plus de deux heures par nuit. Elle a utilisé votre huile d'origan et a immédiatement commencé à dormir au moins quatre heures. Judy R. (ON)

Remarques importantes

Lorsque l'on utilise l'huile d'origan pour combattre des infections ou d'autres affections, il y a un certain nombre de points importants auxquels il faut tenir compte.

Vous devez vous assurer que les produits d'huile d'origan que vous utilisez proviennent d'une source fiable et sont fabriqués à partir d'huile essentielle authentique non modifiée. L'huile doit être certifiée organique ou produite à partir de plantes récoltées à l'état sauvage si vous voulez être sûr qu'elle ne contient ni pesticides ni produits chimiques. Assurez-vous que le carvacrol qu'elle contient est naturel ainsi que les principes phytochimiques de la plante. Vérifiez également que vous utilisez une huile d'origan convenablement diluée et pas une huile d'origan essentielle pure, non diluée.

Il convient aussi d'envisager de prendre des compléments alimentaires. Il est recommandé de prendre des enzymes et des probiotiques en même temps que l'huile d'origan. Les enzymes contribuent à l'absorption de nombreuses propriétés phytochimiques actives de l'origan et accroît l'efficacité de l'huile d'origan prise par voie orale. Les probiotiques augmentent la quantité de « bactéries bénéfiques » qui peut décroître en présence d'une infection ou de l'usage d'antibiotiques. Pour plus de sûreté, prenez des probiotiques de bonne qualité pendant quelques semaines après le traitement par antibiotiques pour restaurer l'équilibre de votre système intestinal.

J'espère que ce guide donnera de l'espoir à ceux qui souffrent de maladies chroniques et qu'ils bénéficieront des bienfaits de l'huile d'origan. N'hésitez pas à faire part des connaissances que vous avez acquises afin qu'elles engendrent un changement dans notre système de santé actuel et que le bon sens guide à nouveau nos décisions.

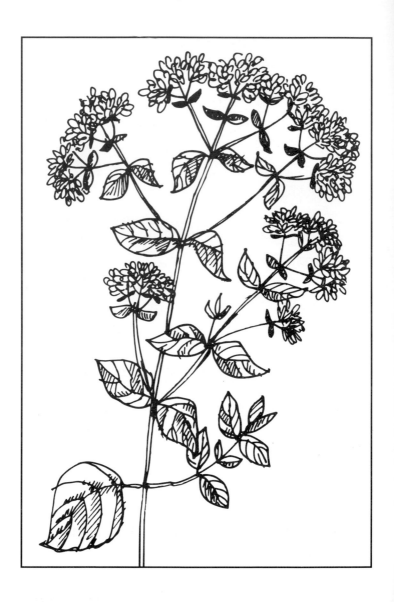

Références

Citations dans le texte

[1] Organisation mondiale de la Santé (OMS), 2013a

[2] Centre européen pour la prévention et le contrôle des maladies (CEPCM), 2012a

[3] CEPCM, 2012b

[4] Infectious Diseases Society of America (IDSA), 2004; Levine, 2006, pp. S5-S12; Klevens et al., 2007b, pp.1763-1771

[5] Klevens et al., 2007a, pp.160-166

[6] Guggenbichler, Assadian, Boeswald, & Kramer, 2011, Doc18

[7] OMS, 2012

[8] IDSA, 2004; Interagency Task Force on Antimicrobial Resistance (ITFAR), 2012

[9] Centers for Disease Control and Prevention (CDC), 2002-2009

[10] OMS, 2009c; OMS, 2013b

[11] OMS, 2009c

[12] OMS, 2012

[13] IDSA, 2004

[14] OMS, 2011

[15] Coates, Halls & Hu, 2011, pp. 184-194; IDSA, 2004

[16] OMS, 2012

[17] Buhner, 1999; Kades, 2005

[18] Nikaido, 2009, pp. 119-146; Wise, 2002, pp. 585–586

[19] Lappé, 1986

[20] Al-Bahry et al., 2009, pp. 720-725

[21] Perencevich, Wong, & Harris, 2001, pp. 281-283

[22] Lapen et al., 2008, pp. 50-65; Fair et al., 2009, pp. 2248-2254; Baier-Anderon & Monosson, 2008; John Hopkins Bloomberg School of Public Health, 2005

[23] CDC, 2013

[24] Harth, 2010; Calafat, Ye, Wong, Reidy, & Needham, 2008, pp. 303–307

[25] Natural Resources Defense Council, 2011; Natural Resources Defense Council, 2010

[26] Brehm, 2011

[27] Subbiah, Shah, Besser, Ullman, & Call, 2012, e48919

[28] Joint Expert Technical Advisory Committee on Antibiotic Resistance (JETACAR), 1999

[29] Smillie, et al., 2011, December, pp. 241–244; O'Brien, 2002, pp. S78-S84; Norberg, Bergström, Jethava, Dubhashi, and Hermansson, 2011, p. 68

[30] Resistance Genes in Our Food Supply, 2007
Zhang, Zhang, & Fang, 2009, pp. 397-414; Xi et al., 2009, pp. 5714–5718; Forsberg, et al., 2012, pp. 1107-1111; Yang et al., 2013

[32] Buhner, 1999

[33] JETACAR, 1999

[34] Georgetown University Medical Center, 2001

[35] Elgayyar, Draughon, Golden, & Mount, 2001, pp. 1019-1024

[36] University of the West of England, 2008

[37] Hammer, Carson, & Riley, 1999, pp. 985–990

[38] Dorman, H. J. D., & Deans, S.G. (2000, February). Antimicrobial agents from plants: Antibacterial activity of plant volatile oils. Journal of Applied Microbiology, 88 (2), 308-316.

[39] Schnaubelt, 1998

[40] Schnaubelt, 1998

[41] Vimalanathan, S., & Hudson, J. (2012)

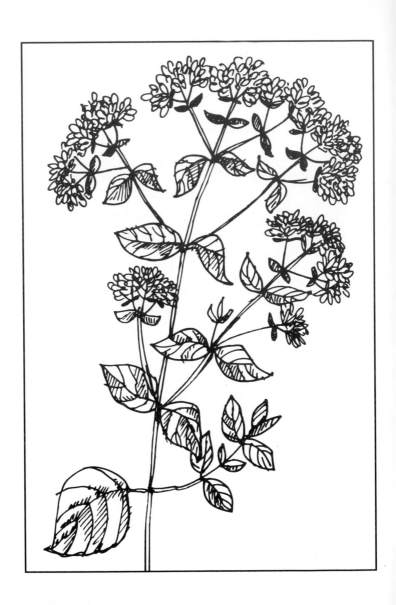

Références complètes

Alanis, A.J. (2005). Resistance to antibiotics: Are we in the post-antibiotic era? *Archives of Medical Research*, 36(6), 697-705. doi:10.1016/j.arcmed.2005.06.009

Al-Bahry, S., Mahmoud, I., Elshafie, A., Al-Harthy, A., Al-Ghafri, S., Al-Amri, I., & Alkindi, A. (2009, May). Bacterial flora and antibiotic resistance from eggs of green turtles Chelonia mydas: An indication of polluted effluents. *Marine Pollution Bulletin*, 58(5), 720-725. doi:10.1016/j.marpolbul.2008.12.018

Aristatile, B., Al-Numair, K.S., Al-Assaf, A.H., & Pugalendi, K.V. (2011). Pharmacological effect of carvacrol on D: -galactosamine-induced mitochondrial enzymes and DNA damage by single-cell gel electrophoresis. *Journal of Natural Medicines*, 65(3-4), 568-577.

Atanda, O.O., Akpan I., & Oluwafemi F. (2007). The potential of some spice essential oils in the control of A. parasiticus CFR 223 and aflatoxin production. *Food Control*, 18(5), 601-607. doi:10.1016/j.foodcont.2006.02.007

Australian Broadcasting Corporation (ABC). (1999). *What Can We Do?* Extrait de http://www.abc.net.au/science/slab/antibiotics/what_to_do.htm

Aydin, S., & Seker, E. (2005). Effect of an aqueous distillate of Origanum onites L. on isolated rat fundus, duodenum and ileum: Evidence for the role of oxygenated monoterpenes. *Pharmazie*, 60(2), 147-50.

Baier-Anderon, C., & Monosson, E. (5 décembre 2008). Triclosan and triclocarban in consumer products. *The Encyclopedia of Earth.* Extrait de http://www.eoearth.org/

Bendini, A., Toschi T.G., & Lercker G. (2002). Antioxidant activity of oregano (Origanum vulgare L.) leaves. *Italian Journal of Food Science*, 14, 17–23.

Braga, P.C., Dal Sasso, M., Culici, M., Bianchi, T., Bordoni, L., & Marabini, L. (2006). Anti-inflammatory activity of thymol: Inhibitory effect on the release of human neutrophil elastase. *Pharmacology*, 77, 130-136. doi:10.1159/000093790

Brehm, D. (30 octobre 2011). Bacteria may readily swap beneficial genes. *MIT News.* Extrait de http://web.mit.edu/newsoffice/

Buhner, S.H. (1999). *Herbal antibiotics: Natural alternatives for treating drug-resistant bacteria.* Pownal, VT: Storey Books.

Burt, S. (2004). Essential oils: Their antibacterial properties and potential applications in foods--a review. *International Journal of Food Microbiology*, 94, 223-253. doi:10.1016/j.ijfoodmicro.2004.03.022

Burt, S.A., & Reinders, R.D. (2003). Antibacterial activity of selected plant essential oils against Escherichia coli O157:H7. *Letters in Applied Microbiology*, 36(3), 162-167. doi:10.1111/j.1365-2672.2005.02789.x

Calafat, A.M., Ye, X., Wong, L., Reidy, J.A., & Needham, L.L. (2008, March). Urinary concentrations of triclosan in the U.S. population: 2003–2004. *Environmental Health Perspectives, 116*(3), 303–307. doi:10.1289/ehp.10768

Centers for Disease Control and Prevention. (1995). *Recommendations for preventing the spread of vancomycin resistance: Recommendations of the Hospital Infection Control Practices Advisory Committee* (HICPAC). Extrait de http://www.cdc.gov/

Centers for Disease Control and Prevention. (2002-2009). *West Nile virus: Statistics, surveillance, and control archive*. Extrait de http://www.cdc.gov/

Centers for Disease Control and Prevention. (2010a). *The 2009 H1N1 pandemic: Summary highlights, April 2009-April 2010*. Extrait de http://www.cdc.gov/

Centers for Disease Control and Prevention. (2010b). *Updated CDC estimates of 2009 H1N1 influenza cases, hospitalizations and deaths in the United States, April 2009-April 2010*. Extrait de http://www.cdc.gov/

Centers for Disease Control and Prevention. (2011). *Diseases and organisms in healthcare settings*. Extrait de http://www.cdc.gov/

Centers for Disease Control and Prevention. (2012). *Influenza antiviral drug resistance*. Extrait de http://www.cdc.gov/

Centers for Disease Control and Prevention. (2013a). *Carbapenem-resistant enterobacteriaceae (CRE)*. Extrait de http://www.cdc.gov/

Centers for Disease Control and Prevention. (2013b). *National report on human exposure to environmental chemicals.* Extrait de http://www.cdc.gov/

Centre européen pour le contrôle et la prévention des maladies. (2012a). *Surveillance de la résistance aux antimicrobiens en Europe 2011. Rapport annuel du Réseau de surveillance de la résistance aux antimicrobiens (EARS-Net)*. Stockholm : CECPM. doi 10.2900/6551.

Centre européen pour le contrôle et la prévention des maladies. (16 novembre 2012b). *Multidrug antibiotic resistance increasing in Europe.* Extrait de http://ecdc.europa.eu/

Chami, N., Chami, F., Bennis, S., Trouillas, J., & Remmal, A. (2004). Antifungal treatment with carvacrol and eugenol of oral candidiasis in immunosuppressed rats. *Brazilian Journal of Infectious Diseases*, 8(3), 217-226.

Coates, A.R., Halls, G., & Hu Y. (Mai 2011). Novel classes of antibiotics or more of the same? *British Journal of Pharmacology, 163*(1), 184-194. doi:10.1111/j.1476-5381.2011.01250.x

Conly, J., & Johnston, B. (Mai 2005). Where are all the new antibiotics? The new antibiotic paradox. *The Canadian Journal of Infectious Diseases & Medical Microbiology, 16*(3), 159–160.

Dorman, H. J. D., & Deans, S.G. (Février 2000). Antimicrobial agents from plants: Antibacterial activity of plant volatile oils. *Journal of Applied Microbiology*, 88 (2), 308-316.

Duke, J.A. (1997). *The green pharmacy: New discoveries in herbal remedies for common diseases and conditions from the world's foremost authority on healing herbs*. Emmaus, PA: Rodale Press.

Eber, M.R., Laxminarayan, R., Perencevich, E.N., & Malani, A. (2010). Clinical and economic outcomes attributable to health care-associated sepsis and pneumonia. *Archives of Internal Medicine*, 170(4), 347-353. doi:10.1001/archinternmed.2009.509

Elgayyar, M., Draughon, F.A., Golden, D.A., & Mount, J.R. (Juillet 2001). Antimicrobial activity of essential oils from plants against selected pathogenic and saprophytic microorganisms. *Journal of Food Protection, 64*(7), 1019-1024.

Fair, P.A., Lee, H., Adams, J., Darling, C., Pacepavicius, G., Alaee, M., . . . Muir, D. (2009). Occurrence of triclosan in plasma of wild Atlantic bottlenose dolphins (Tursiops truncatus) and in their environment. *Environmental Pollution*, 157(8-9), 2248-2254. doi:10.1016/j.envpol.2009.04.002

Fontaine, D. (mai 2010). *Shopping for health: A buyer's guide to oil of oregano* [Corporate brochure].

Force, M., Sparks, W.S., & Ronzio, R.A. (2000). Inhibition of enteric parasites by emulsified oil of oregano in vivo. *Phytotherapy Research*, 14(3), 213-214.

Forsberg, K.J., Reyes, A., Wang, B., Selleck, E.M., Sommer, M.O.A., & Dantas, G. (31 août 2012). The shared antibiotic resistome of soil bacteria and human pathogens. *Science*, *337*(6098), 1107-1111. doi:10.1126/science.1220761

Georgetown University Medical Center. (11 octobre 2001). Oregano oil may protect against drug-resistant bacteria, Georgetown researcher finds. *Science Daily*. Extrait de http://www.sciencedaily.com/

Grolle, J., & Hackenbroch, V. (21 juillet 2009). Interview with epidemiologist Tom Jefferson: A whole industry is waiting for a pandemic. *Der Spiegel*. Extrait de http://www.spiegel.de/

Guggenbichler, J.P., Assadian, O., Boeswald, M., & Kramer, A. (2011). Incidence and clinical implication of nosocomial infections associated with implantable biomaterials— catheters, ventilator-associated pneumonia, urinary tract infections. *GMS Krankenhhyg Interdiszip, 6*(1), Doc18. doi:10.3205/dgkh000175

Hammer, K.A., Carson, C.F., & Riley, T.V. (Juin 1999). Antimicrobial activity of essential oils and other plant extracts. *Journal of Applied Microbiology, 86*(6), 985–990.

Harth, R. (9 novembre 2010). *Myth of a germ-free world: A closer look at antimicrobial products*. Tempe, AZ: Biodesign Institute at ASU. Extrait de http://www.biodesign.asu.edu/

Ijaz, M.K., Chen, Z., Raja, S.S., Suchmann, D.B., Royt, P.W., Ingram, C., . . . Paolilli, G. (2004). Antiviral and virucidal activities of oreganol P73-based spice extracts against human coronavirus in vitro. International Conference on Antiviral Research (XVII), *Antiviral Research, Abstracts, 62*(2), 121.

Infectious Diseases Society of America (IDSA). (2004). *Bad bugs, no drugs: As antibiotic discovery stagnates... a public health crisis brews*. Extrait de http://www.fda.gov/

Infectious Diseases Society of America (IDSA). (Juin 2010). *Antibiotic resistance: Promoting critically needed antibiotic research and development and appropriate use ("stewardship") of these precious drugs.* Extrait de http://www.idsociety.org/

Ingram, C. (2001). *Wild oregano oil: Ancient remedy, modern research.* Extrait de http://www.kombuchahealth.com.au

Ingram, C. (2008). *The cure is in the cupboard: How to use oregano for better health.* Buffalo Grove, IL: Knowledge House Publishers.

Interagency Task Force on Antimicrobial Resistance (ITFAR). (2012). *A public health action plan to combat antimicrobial resistance: 2012 update.* Extrait de http://www.cdc.gov/

Jayakumar, S., Madankumar, A., Asokkumar, S., Raghunandhakumar, S., Gokula Dhas, K., Kamaraj, S., . . . Devaki, T. (2012). Potential preventive effect of carvacrol against diethylnitrosamine-induced hepatocellular carcinoma in rats. *Molecular and Cellular Biochemistry, 360*(1-2), 51-60. doi:10.1007/s11010-011-1043-7

John Hopkins Bloomberg School of Public Health. (23 décembre 2005). *Cleaning up antimicrobial hand soaps* [Interview with Dr. Rolf Halden]. Extrait de http://www. jhsph.edu/

Joint Expert Technical Advisory Committee on Antibiotic Resistance (JETACAR). (Octobre 1999). *The use of antibiotics in food producing animals: Antibiotic-resistant bacteria in animals and humans.* Extrait de http://www. health.gov.au/

Kades, E. (2005). Preserving a precious resource: Rationalizing the use of antibiotics. *Faculty Publications*, Paper 52. Extrait de http://scholarship.law.wm.edu/

Klevens, R.M., Edwards, J.R., Richards, C.L., Jr., Horan, T.C., Gaynjes, R.P., Pollock, D.A., & Cardo, D.M. (2007a). Estimating health care-associated infections and deaths in U.S. hospitals, 2002. *Public Health Reports, 122*(2), 160-166.

Klevens, R.M., Morrison, M.A., Nadle, J., Petit, S., Gershman, K., Ray, S., . . . Fridkin, S.K. (17 octobre 2007b). Invasive methicillin-resistant staphylococcus aureus infections in the United States. *Journal of the American Medical Association, 298*(15), 1763-1771.

La course contre la montre pour mettre au point de nouveaux antibiotiques. (Février 2011). *Bulletin de l'Organisation mondiale de la Santé*, 89, 88-89. Extrait de http://www.who.int/

Lagatolla, C., Tonin, E.A., Monti-Bragadin, C., Dolzani, L., Gombac, F., Bearzi, C., . . . Rossolini, G.M. (2004). Endemic carbapenem-resistant Pseudomonas aeruginosa with acquired metallo-B-lactamase determinants in European hospital. *Emerging Infectious Diseases, 10*(3), 535-538. doi:10.1001/jama.298.15.1763

Lambert, R.J., Skandamis, P.N., Coote, P.J., & Nychas, G.J. (2001). A study of the minimum inhibitory concentration and mode of action of oregano essential oil, thymol and carvacrol. *Journal of Applied Microbiology, 91*(3), 453-462.

Lapen, D.R., Topp, E., Metcalfe, C.D., Li, H., Edwards, M., Gottschall, N., . . . Beck, A. (2008). Pharmaceutical and personal care products in tile drainage following land application of municipal biosolids. *The Science of the Total Environment, 399*(1-3), 50-65. doi:10.1016/j.scitotenv.2008.02.025

Lappé, M. (1986). *When antibiotics fail: Restoring the ecology of the body.* Berkeley, CA: North Atlantic Books.

Lawless, J. (1995). *The illustrated encyclopedia of essential oils.* London: Element Books Ltd.

Levine, D.P. (2006). Vancomycin: A history. *Clinical Infectious Diseases, 42*, S5-S12. doi:10.1086/491709

Levy, S. (1992). *The antibiotic paradox: How the misuse of antibiotics destroys their curative powers.* New York: Plenum Press.

Liao, F., Huang, Q., Yang, Z., Xu, H., and Gao, Q. (2004). Experimental study on the antibacterial effect of origanum volatile oil on dysentery bacilli in vivo and in vitro. *Journal of Huazhong University of Science and Technology, 24*(4), 400-403.

Mann, J. (2001). *Oil of oregano: An herbal solution to the antibiotic crisis.* Lumby, BC: Joy of the Mountains.

Manohar V., Ingram, C., Gray, J., Talpur, N.A., Echard, B.W., Bagchi, D., & Preuss, H.G. (2001). Antifungal activities of origanum oil against Candida albicans. *Molecular and Cellular Biochemistry, 228*, 111-117.

Mohacsi-Farkas, C., Tulok, M., & Balogh, B. (2003). Antimicrobial activity of Greek oregano and winter savory extracts (essential oil and SCFE) investigated by impedimetry. *Acta Horticulturae, 597*, 199-204.

Mothana, R.A., Abdo, S.A., Hasson, S., Althawab, F.M., Alaghbari, S.A., & Lindequist, U. (2010). Antimicrobial, antioxidant and cytotoxic activities and phytochemical screening of some Yemeni medicinal plants. E*vidence-Based Complementary and Alternative Medicine, 7*(3), 323-330. doi:10.1093/ecam/nen004

Natural Resources Defense Council. (5 août 2010). *Triclosan exposure levels increasing in humans, new data shows potential for food contamination* [Press release]. Extrait de http://www.nrdc.org/

Natural Resources Defense Council. (2011). *Triclosan and triclocarban* [Chemical index]. Extrait de http://www.nrdc.org/

Nikaido, H. (2009). Multidrug resistance in bacteria. *Annual Review of Biochemistry, 78*, 119-146. doi:10.1146/annurev.biochem.78.082907.145923

Norberg, P., Bergström, M., Jethava,V., Dubhashi, D., & Hermansson, M. (Avril 2011). The IncP-1 plasmid backbone adapts to different host bacterial species and evolves through homologous recombination. *Nature Communications, 2*, 68. doi:10.1038/ncomms1267

Nostro, A., Bianco, A.R., Cannatelli, M.A., Enea, V., Flamini, G., Morelli, I., . . . Alonzo, V. (2004). Susceptibility of methicillin-resistant staphylococci to oregano essential oil, carvacrol and thymol. *FEMS Microbiology Letters, 230*, 191-195.

O'Brien, T.F. (Juin 2002). Emergence, spread, and environmental effect of antimicrobial resistance: How use of an antimicrobial anywhere can increase resistance to any antimicrobial anywhere else. *Clinical Infectious Diseases, 34*(Supplement 3), S78-S84.

Oregano could help eradicate MRSA superbug. (25 novembre 2008). *The Telegraph*. Extrait de http://www.telegraph.co.uk

Organisation mondiale de la Santé. (14 mars 2012). *Résistance aux antimicrobiens dans l'Union européenne et dans le monde* [Discours d'orientation de la Directrice-générale de l'OMS, le Dr Margaret Chan]. Extrait de http://www.who.int/

Organisation mondiale de la Santé. (2009a). *Plan mondial OMS actuel de préparation à une pandémie de grippe (H1N1) 2009* [Recommandations OMS]. Extrait de http://www.who.int/

Organisation mondiale de la Santé. (Avril 2009c) *Grippe (saisonnière)* [Fiche de renseignements]. Extrait de http://www.who.int/

Organisation mondiale de la Santé. (2013a). *Décès dus aux maladies non transmissibles* [Observatoire mondial de la Santé]. Extrait de http://www.who.int/

Organisation mondiale de la Santé. (2013b). *Flambées épidémiques par année* [Alerte et action au niveau mondial]. Extrait de http://www.who.int/

Organisation mondiale de la Santé. (25 avril 2009b). *Grippe porcine* [Déclaration de la Directrice-générale de l'OMS, le Dr Margaret Chan]. Extrait de http://www.who.int/

Organisation mondiale de la Santé. (6 avril 2011). *Résistance aux antimicrobiens : pas d'action aujourd'hui, pas de traitement demain* [Commentaires de la Directrice-générale de l'OMS, le Dr Margaret Chan]. Extrait de http://www.who.int/

Perencevich, E.N., Wong, M.T., & Harris, A.D. (Octobre 2001). National and regional assessment of the antibacterial soap market: A step toward determining the impact of prevalent antibacterial soaps. *American Journal of Infection Control, 29*(5), 281-283.

Resistance genes in our food supply. (23 mai 2007). *Science Daily.* Extrait de http://www.sciencedaily.com/

Rothberg, M.B., Haessler, S.D., & Brown, R.B. (Avril 2008).
Complications of viral influenza. *The American
Journal of Medicine, 121*(4), 258-264. doi:10.1016/j.
amjmed.2007.10.040

Ruuskanen, O., Lahti, E., Jennings, L.C., & Murdoch D.R.
(Avril 2011). Viral pneumonia. *Lancet, 377*(9773), 1264-1275.
doi:10.1016/S0140-6736(10)61459-6

Rysz, M., Mansfield, W.R., Fortner, J.D., & Alvarez, P.J.J.
(5 février 2013). Tetracycline resistance gene maintenance
under varying bacterial growth rate, substrate and oxygen
availability, and tetracycline concentration. *Environmental
Science & Technology.* doi:10.1021/es3035329

Scallan, E., Griffin, P.M., Angulo, F.J., Tauxe, R.V., & Hoekstra, R.M.
(2011). Foodborne illness acquired in the United States—
unspecified agents. *Emerging Infectious Diseases, 17*(1), 16-
22. doi:10.3201/eid1701.P21101

Schnaubelt, K. (1998). *Aromathérapie avancée.* Rochester, VT:
Healing Arts Press.

Sellar, W. (2001). *The directory of essential oils.* London, England:
Random House.

Shapiro, S., & Guggenheim, B. (1995). The action of thymol on oral
bacteria. *Oral Microbiology and Immunology, 10*(4), 241-246.

Skandamis, P., Koutsoumanis, K., Fasseas, K., & Nychas, G-J.E.
(2001). Inhibition of oregano essential oil and EDTA on Escherichia
coli O157:H7. *Italian Journal of Food Science, 13*, 65-75.

Smillie, C.S., Smith, M.B., Friedman, J., Cordero, O.X., David, L.A., & Alm, E.J. (Décembre 2011). Ecology drives a global network of gene exchange connecting the human microbiome. *Nature*, 480, 241-244. doi:10.1038/nature10571

Sokmen, M., Serkedjieva, J., Daferera, D., Gulluce, M., Polissiou, M., Tepe, B., . . . Sokmen, A. (2004). In vitro antioxidant, antimicrobial, and antiviral activities of the essential oil and various extracts from herbal parts and callus cultures of Origanum acutidens. *Journal of Agricultural and Food Chemistry, 52*(11), 3309-3312. doi:10.1021/jf049859g

Sokovic, M., Tzakou, O., Pitarokili, D., & Couladis, M. (2002). Antifungal activities of selected aromatic plants growing wild in Greece. *Die Nahrung, 46*(5), 317-320.

Soylu, S., Yigitbas, H., Soylu, E.M., & Kurt, S. (2007). Antifungal effects of essential oils from oregano and fennel on Sclerotinia sclerotiorum. *Journal of Applied Microbiology, 103*(4), 1021-1030.

Spellberg, B., Guidos, R., Gilbert, D., Bradley, J., Boucher, H.W., Scheld, W.M., . . . Infectious Diseases Society of America (IDSA). (2008). The epidemic of antibiotic-resistant infections: A call to action for the medical community from the Infectious Diseases Society of America. *Clinical Infectious Diseases, 46*(2), 155-164. doi:10.1086/524891

Subbiah, M., Shah, D.H., Besser, T.E., Ullman, J.L., & Call, D.R. (2012). Urine from treated cattle drives selection for cephalosporin resistant Escherichia coli in soil. *PLOS ONE, 7*(11), e48919. doi:10.1371/journal.pone.0048919

Tillotson, A. (2001). *The one earth herbal sourcebook*. New York: Kensington.

Ultee, A., Kets, E.P.W., & Smid, E.J. (1999). Mechanisms of action of carvacrol on the food-borne pathogen Bacillus cereus. *Applied and Environmental Microbiology, 65*(10), 4606-4610.

Ulukanli, Z., Ulukanli, S., Ozbay, H., Ilcim, A., & Tuzcu, M. (2005). Antimicrobial activities of some plants from the Eastern Anatolia Region of Turkey. *Pharmaceutical Biology, 43*, 334-339.

University of the West of England. (2008). Scientists win SEED award for Himalayan oregano project. [Communiqué de presse]. Extrait de http://info.uwe.ac.uk/

Vimalanathan, S., & Hudson, J. (2012). Anti-influenza virus activities of commercial oregano oils and their carriers. *Journal of Applied Pharmaceutical Science, 02*(07), 214-218. doi:10.7324/JAPS.2012.2734

Wilcox, J.K., Ash, S.L., & Catignani, G.L. (2004). Antioxidants and prevention of chronic disease. *Critical Reviews in Food Science and Nutrition, 44*(4), 275-295.

Wise, R. (2002). Antimicrobial resistance: Priorities for action. *Journal of Antimicrobial Chemotherapy, 49*, 585–586. doi:10.1093/jac/49.4.585

Wright, G.D. (Janvier 2012). Antibiotics: A new hope. *Chemistry & Biology, 19*(1), 3-10. doi:10.1016/j.chembiol.2011.10.019

Wu, T. (2011). Carbapenem-resistant or multidrug-resistant acinetobacter baumannii: A clinician's perspective. *The Hong Kong Medical Diary, Medical Bulletin, 16*(4), 6-9.

Xi, C., Zhang, Y., Marrs, C.F., Ye, W., Simon, C., Foxman, B., & Nriagu, J. (Septembre 2009). Prevalence of antibiotic resistance in drinking water treatment and distribution systems. *Applied and Environmental Microbiology, 75*(17), 5714–5718. doi:10.1128/AEM.00382-09

Yang, J., Wang, C., Shu, C., Liu, L., Geng, J., Hu, S., & Feng, J. (1er février 2013). Marine sediment bacteria harbor antibiotic resistance genes highly similar to those found in human pathogens. *Microbial Ecology.*

Zhang, X.X., Zhang, T., & Fang, H.H. (Mars 2009). Antibiotic resistance genes in water environment. *Applied Microbiology and Biotechnology, 82*(3), 397-414. doi:10.1007/s00253-008-1829-z

Références des sites Web :

- Mayo Clinic (http://www.mayoclinic.com/)

- MEDLINE®/PubMed® (http://www.nlm.nih.gov/bsd/pmresources.html)

- U.S. National Library of Medicine (http://www.nlm.nih.gov/)

- National Institutes of Health (http://www.nih.gov/)

Annexe A – Liste des affections

L'huile d'origan peut être utilisée pour traiter les affections suivantes :

Rhumes et grippes

- Stimule le système immunitaire
- Combat les infections virales et bactériennes
- Vous protège lorsque ceux qui vous entourent sont malades
- Soulage la congestion des poumons et des sinus
- Apaise le mal de gorge
- Apaise la toux

Affections cutanées

- Combat les infections fongiques, bactériennes et parasitaires
- Guérit la peau sèche et craquelée, les éruptions cutanées et les plaies
- Réduit les boutons d'acné et débouche les pores
- Réduit les enflures et les douleurs provoquées par des piqûres d'insectes
- Soulage les démangeaisons du cuir chevelu et élimine les pellicules
- Répare les tissus et accélère la cicatrisation
- Peut contribuer à soulager le psoriasis et l'eczéma
- Traite les infections fongiques des pieds et des ongles
- Traite les feux sauvages et les crises d'herpès

- Traite la rougeole et la varicelle
- Traite la dermatomycose, la rosacée, la gale et les poux
- Soulage le zona
- Repousse les moustiques

Affections des voies respiratoires et des sinus

- Soulage les troubles respiratoires et les difficultés à respirer
- Combat les infections dues aux virus, aux bactéries et aux moisissures
- Dissipe la congestion des poumons et des sinus
- Soulage la toux
- Aide à guérir la bronchite chronique, la sinusite et la pneumonie
- Soulage la rhinite et les allergies

Douleurs musculaires et articulaires

- Diminue la douleur et l'inflammation
- Détend les muscles raidis et les crampes
- Accélère la guérison et améliore la mobilité
- Soulage l'arthrite, les rhumatismes, la bursite, la tendinite et le syndrome du tunnel carpien
- Idéale en cas de blessures telles que les entorses, les foulures, et les déchirements musculaires ou ligamentaires
- Atténue les contractions musculaires et les douleurs menstruelles

Brûlures, plaies, coupures, ecchymoses et ampoules

- Désinfecte, prévient les infections et traite les infections déclarées
- Diminue la douleur et l'inflammation
- Accélère la guérison des tissus endommagés
- Atténue les ecchymoses

Affections buccales

- Combat les infections bactériennes
- Combat les maladies et le recul des gencives, et les abcès
- Soulage les maux de dents et combat l'infection
- Désinfecte la bouche, nettoie les dents et rafraîchit l'haleine
- Traite les feux sauvages et les ulcérations

Troubles digestifs

- Attaque les infections virales, bactériennes, fongiques et parasitaires
- Combat les vers plats parasites et les vers intestinaux
- Prévient et traite les intoxications causées par les aliments et par les pathogènes présents dans l'eau
- Soulage les crampes et les douleurs intestinales
- Soulage et apaise les malaises de l'estomac et des parois intestinales

- Soulage l'indigestion, les ballonnements et les gaz
- Prescrite par les naturopathes pour traiter le côlon irritable, la colite et la maladie de Crohn
- Stimule les excrétions de bile par le foie pour faciliter la digestion
- Combat l'acidité et les brûlures d'estomac
- Traite la nausée et la diarrhée

Infections

Les affections mentionnées ci-dessous qui sont suivies d'un astérisque (*) sont souvent causées par des infections mais ce n'est pas toujours le cas. Si vous avez un doute, consultez un professionnel de santé fiable pour obtenir un diagnostic avant de faire appel aux propriétés antivirales, antibactériennes, antifongiques ou antiparasitaires de l'huile d'origan.

- Allergies
- Amygdalite et laryngite
- Arthrite*
- Boutons d'acné et poil incarné
- Bronchite chronique
- Colite et maladie de Crohn*
- Coupures, plaies et brûlures infectées
- Dermatomycose et rosacée
- Eczéma marginé
- Érythème fessier*
- Escarres
- Feux sauvages ou autres crises d'herpès

- Furoncles
- Gale et poux
- Impétigo
- Infections au candida
- Infections de l'estomac et des intestins
- Infections dentaires
- Infections des ongles des doigts et des orteils
- Infections des oreilles
- Infections des voies urinaires
- Infections nosocomiales
- Infections rénales
- Infections respiratoires
- Infections urinaires
- Infections vertébrales
- Intoxications alimentaires et maladies dues aux pathogènes de l'eau
- Lambliase
- Mal de gorge
- Maladie de Lyme
- Maladies des gencives, déchaussement et abcès
- Morsures d'animaux
- Pellicules*
- Pied d'athlète
- Pneumonie
- Psoriasis et eczéma*
- Rhumes et grippe

- Rougeole, oreillons et varicelle
- Sinusite
- Syndrome du côlon irritable*
- Troubles de la prostate*
- Tuberculose
- Ulcérations
- Ulcères peptiques
- Verrues (main et pied)
- Vers et schistosomes
- Zona

Index

Indications

Affections spécifiques

Usages ménagers

Avis de non-responsabilité

Les informations fournies par l'auteur dans cette brochure ne sauraient être assimilées à des conseils médicaux. Elles sont livrées à des fins éducatives uniquement et ne sauraient être considérées comme un diagnostic, un traitement ou pour la prévention d'un problème de santé quel qu'il soit. Pour obtenir un avis médical, il convient de consulter un professionnel de santé. La décision d'utiliser ou de ne pas utiliser une ou plusieurs des informations contenues dans les présentes relève de la seule responsabilité du lecteur.